SI ESTÁS ENAMORADO,

NO
te cases

Y SI ESTÁS CASADO, NO DEJES DE AMAR

PADRE
ALBERTO
LINERO

SI ESTÁS ENAMORADO,

NO

te cases

Y SI ESTÁS CASADO, NO DEJES DE AMAR

DIANA

Diseño de cubierta: Departamento de Diseño Grupo Planeta
Imágenes de cubierta: © ShutterStock

© Alberto Linero Gómez, eudista, 2016
© Editorial Planeta Colombiana S. A., 2016
   Calle 73 N.º 7-60, Bogotá, D. C.

Primera edición: abril de 2016

ISBN 13: 978-958-42-4992-0
ISBN 10: 958-42-4992-4

Impreso por: Nomos Impresores

*A Carlos y a Rosina, quienes, amándose,
me enseñaron a creer en mí, en la vida,
en las personas y en Dios.*

Contenido

Introducción

El matrimonio es el espacio existencial que algunos eligen para ser felices. No es un mal invento, ni tampoco es una cruz. Por el contrario, es una de las opciones que tienen los seres humanos para realizar su vida con sentido. Nadie se casa para ser infeliz. Quienes asumen ese compromiso encuentran en el compartir con una pareja la complementariedad que necesitan para desarrollar plenamente su proyecto de vida. La necesidad humana de salir de sí mismo en busca de la felicidad halla en el matrimonio una gran oportunidad.

El ideal del matrimonio es que en la pareja los dos lleguen a ancianos disfrutando la relación y gozándola a plenitud. El ideal, por supuesto, no es la separación. Nadie se casa para divorciarse. Todos los que se comprometen lo hacen con la seguridad interior de que están tomando la mejor decisión de su vida y de que vivirán en plenitud. Esa certeza la genera el dar amor y recibirlo de la otra persona. Ese amor tiene siempre la capacidad de ilusionar a los miembros de la pareja y hacerlos apostar por un futuro mejor.

Entonces ¿por qué hay tanto fracaso matrimonial? Seguro la respuesta es vasta y exige una investigación exhaustiva. Sin embargo, durante los años que he trabajado con parejas en un retiro-taller en la casa Shalom del Centro Carismático Minuto de Dios, he podido concluir que en muchas ocasiones el fracaso se debe a que la decisión de casarse no se tomó con la conciencia y con el sentido de realidad necesarios o a que no se supo sostener esa primera resolución con otras decisiones puntuales que hicieran posible que la relación continuara exitosamente.

Sí, considero que muchas personas confunden el enamoramiento (estado de enajenación por la hiperidealización de la pareja) con el amor (decisión de ser feliz con la otra persona conociendo y aceptando su realidad). Un matrimonio fruto de un estado de enamoramiento tiene todas las probabilidades de fracasar en poco tiempo, porque el enamoramiento es pasajero. Ese sentirse en las nubes con la presencia de la pareja es temporal. Las relaciones tienen que vivirse en la realidad del amor, en la cual hay momentos de plenitud y momentos de conciencia de la finitud humana; momentos de alegría y de tristeza, de encuentro y de desencuentro, de comunicación fluida y de malos entendidos, de solidaridad y de indiferencias. Nadie es perfecto y la relación matrimonial tiene que darse en medio de la imperfección humana y permitir que desde esta realidad los miembros de la pareja alcancen la felicidad posible.

Asimismo, he podido constatar que muchos de los que fracasan en su relación matrimonial lo hacen porque no son capaces de sostener la decisión inicial con otras decisiones importantes, como compartir con generosidad la vida, reafirmarse en la decisión de amar al otro, comunicarse de manera correcta o propiciar una buena resolución de los conflictos que se generan. Muchos creen que basta con el "sí" dado el día de la boda y olvidan que ese "sí" exige una constante reafirmación en las distintas actitudes y acciones diarias.

El presente texto es el resultado de ese trabajo de reflexión, de lectura, de compartir con parejas y de acompañarlas en la superación de sus conflictos matrimoniales. Tiene dos objetivos puntuales: uno, ayudar al lector a comprender que la base de la relación es el amor y que, para mantenerlo, ambas partes necesitan estar abiertas a un conocimiento real de la otra persona, en el que puedan aceptar sus defectos y gozar sus virtudes; y dos, ofrecer al lector ideas claras que le permitan revisar la relación matrimonial que está llevando y tomar la decisión de mejorarla. Así, este libro está pensado para quienes desean casarse y también para quienes ya están casados y quieren evaluar su relación, encontrar ideas que les permitan cambiar actitudes equivocadas y actuar de la manera correcta.

Sé que muchos se sorprenden de que alguien como yo, que he elegido el celibato como opción de vida, pueda hablar del matrimonio (como si yo viviera en una cápsula de cristal y no perteneciera a una familia ni tuviera que compartir con las parejas que están a mi lado). Ellos están seguros de que solo puede hablar del fuego el que se ha quemado. Está claro que no estoy casado y que no pretendo enseñar a nadie a vivir en pareja o lograr que cada lector haga lo que aquí está expuesto. Mi intención en estas páginas es propiciar una reflexión personal y profunda que le permita a cada quien entender lo que está pasando en su relación y cómo puede hacer para mejorarla. No hay aquí fórmulas mágicas o consejos perfectos, sino reflexiones sencillas, serias y coherentes de alguien que, viendo la vida matrimonial desde su papel de acompañante espiritual, propone preguntas que cada uno debe responder.

Entiendo que mi postura puede tener ciertas limitaciones y las acepto serenamente, pero estoy seguro de que lo que comparto aquí, basándome en lo vivido por muchas parejas con las que he trabajado, permitirá cuestionamientos, evaluaciones y decisiones que le ayudará al lector a tener una mejor relación matrimonial.

Las reflexiones que planteo se enmarcan, desde luego, dentro de la fe que profeso y vivo. Este no es un libro de teología de la familia, pero sí reflexiono desde mi propia fe la situación de las parejas. Por eso puede ser leído por cualquier persona que esté dispuesta a la apertura y benevolencia que exige la comprensión de lo que se está compartiendo.

El texto está estructurado en seis capítulos a través de los cuales busco alcanzar el objetivo propuesto. En el capítulo 1 trato de precisar qué es enamoramiento y qué es amor, buscando que el lector se dé cuenta de que amar al otro supone mucho más que desearlo; hay que aceptarlo tal cual es. Insisto en que es necesario darse cuenta de lo que pasa en el enamoramiento y entender por qué es pasajero. La idea es que cada uno tome la decisión de amar a su compañero, partiendo de conocerlo y aceptarlo tal cual es.

En el capítulo 2 trataré de precisar lo que caracteriza a una persona sana, buscando que cada lector se evalúe e identifique lo que debe hacer para mejorar como persona y como miembro de una relación de pareja. Propongo esto porque una de las cosas que he podido concluir en el trabajo que he realizado con las parejas que acompaño es que comúnmente los problemas entre ellos son reflejo de dificultades individuales. En algunos casos la vida matrimonial no funciona porque al menos uno de los miembros de la pareja tiene problemas personales muy serios que proyecta en el otro.

En el capítulo 3 reflexiono sobre las falsas motivaciones que tiene la gente para casarse. A estas las llamo "mitos del matrimonio" y dejo claro que muchas relaciones fracasan porque alguno de sus miembros espera del otro lo que no puede dar. El matrimonio tiene mala fama. Se hacen muchos chistes que lo presentan como una tragedia o un mal necesario. Creo que es preciso trabajar en la imagen del matrimonio y mostrar que puede ser una bendición. Esto es lo que intento hacer en este apartado. Pero si hablo sobre las motivaciones equivocadas para tomar la decisión del matrimonio también tengo que precisar cuáles son las correctas. Sobre esto reflexiono en el capítulo 4.

En el quinto explico que, para nosotros los católicos, el matrimonio es un sacramento que tiene una dinámica propia. A partir de las formas verbales propuestas en Mt 10, 7-9 y en los textos paralelos, realizo una interpretación existencial libre y planteo cómo debiera ser esa dinámica sacramental del matrimonio para que las parejas puedan vivir felices el resto de su vida.

En el capítulo 6 propongo, desde la teoría del conflicto, algunos consejos para resolver los conflictos que se generan en la relación de pareja. Es un resumen de todo lo leído y aprendido sobre la resolución de conflictos, pero esta vez aplicado a la relación de pareja y puesto en términos muy sencillos. Al final del libro, resumo todo en unas sencillas conclusiones para la vida diaria.

Estos capítulos le propiciarán al lector herramientas muy concretas para que trabaje en hacer de su matrimonio una experiencia de felicidad, porque es claro que todos se casan para ser felices, pero ese estado no cae del cielo sino que se construye con amor y dedicación.

Fueron muchas las lecturas, los diálogos, las páginas escritas y luego borradas, las conferencias dictadas y los momentos de oración realizados para poder escribir este texto. Por ello, estas páginas tienen mucho de mi propio pensamiento pero también del pensamiento de quienes leí, de los que compartieron conmigo sus dificultades matrimoniales, de los que me hicieron preguntas y de los que me animaron a seguir adelante en mi ministerio presbiteral.

Estoy convencido de que necesitamos relaciones matrimoniales más sólidas para que la familia pueda ser realmente la base que la sociedad necesita. Sin una buena experiencia de pareja no creo que pueda haber una sana experiencia de familia, y, desde luego, las consecuencias sociales de esto son nefastas. Confío en que la lectura de este texto será una bendición para el lector y para su pareja, pues le generará preguntas, promoverá el cambio de actitudes, inspirará nuevas acciones y fomentará la renovación del amor por su pareja.

ALBERTO LINERO Gómez, eudista
@PLinero

Capítulo 1
El enamoramiento y el amor

EL ENAMORAMIENTO

Ayer la vi. Estaba radiante como un sol que hace que todos giren a su alrededor. Sin embargo, nada parecía indicar que la conociera. Mi corazón no se movió. Mis ojos no brillaron ni mi respiración se aceleró. No hubo sudor en mis manos ni mis piernas temblaron como antes. Ella era la misma de siempre, y aunque ahora tenía el aspecto de una mujer adulta, seguía siendo elegante y divina. Su cuerpo estaba más ancho, pero seguía siendo firme y de buena figura. Si no fuera porque ella pertenecía a mi vida y la conocía desde hace mucho tiempo, hubiera creído que era la primera vez que la veía.

No entendí cómo era posible que ahora, 20 años después, su presencia no me produjera ninguna reacción emocional, si antes, con solo presentarse frente a mí, hacía que un terremoto ocurriera en mi interior, que todas mis seguridades desaparecieran y que fuera totalmente vulnerable a su gestos y palabras. Sí, ella con su aliento me hacía volar, con sus palabras llenaba de sentido y de respuestas todas las preguntas que me atormentaban, con sus abrazos me daba la seguridad de ser amado, reconocido y valorado; los momentos con ella se hacían eternos, plenos y me permitía asegurar que mi felicidad dependía del estado de mi relación con ella. Eran días en los que si me hubieran pedido la mano izquierda a cambio de sus besos, la hubiera dado.

Todos esas emociones quedaron plasmadas en no sé cuántos poemas que le leí y en los que le mostraba lo central y fundamental que era ella en mi vida. ¿Qué había pasado entre nosotros que ahora ya nada significaba para mí? ¿En qué habíamos cambiado que ya no nos creíamos necesarios el uno para el otro? ¿Qué había pasado en esos 20 años con toda la pasión que por ella sentía?

Las respuestas a estas y muchas otras preguntas me llevaron a comprender que una cosa es estar enamorado y otra cosa es amar. Y que si el enamoramiento no se transforma en amor, seguro dura poco y cae vencido por la angustiante rutina de la cotidianidad. El enamoramiento es la puerta de entrada a una experiencia más encarnada en la realidad que en nuestros ideales, que compromete más nuestra capacidad de decidir que la de sentir, sin anularla.

De ella estuve enamorado mucho antes de decidir hacerme eudista y, en su momento, significó mucho para mí, pero el sentimiento ya ha pasado y hoy su presencia pasa casi desapercibida. Ya no estoy enamorado. La distancia, el silencio, los descubrimientos de las aristas deformadas de nuestra realidad hicieron lo suyo: que se apagara todo lo que sentía por ella. Esa pasión que me enceguecía ahora ya no está y ella vuelve a ser una mujer más y no la única mujer que concreta mis ideales, aunque ninguna está obligada a concretarlos.

Me detengo, cierro los ojos interiormente y algunas preguntas me mueven aún más: ¿Qué pasaría si nos hubiéramos casado? ¿Estaríamos juntos o la rutina heriría de muerte nuestra pasión y nos habría ocasionado la separación? ¿Será eso lo que les pasa a muchas de las parejas que se casan frente al altar y que luego terminan separados, sin querer verse? ¿Es el enamoramiento el estado ideal para pronunciar ese compromiso tan importante en la vida, como lo es el matrimonio?

Esta experiencia me hizo reflexionar en torno a tres realidades humanas fundamentales para la búsqueda de la felicidad: El enamoramiento, el amor y el matrimonio. Son realidades que están intrínsecamente unidas pero que se tienen que comprender profundamente para interrelacionarlas, de tal manera que no se vuelvan motivo de frustración y de dolor. Son tres realidades que tenemos que entender y comprender a la vez. No se trata solo de un ejercicio racional de captar las causas y los efectos, sino de implicarse totalmente y vivir la experiencia que allí está presente. Es necesario que se capte cuál es la funcionalidad del enamoramiento en la relación de pareja y cómo tiene que dar paso al amor como experiencia estable, duradera y realizadora. Sospecho que el enamoramiento no es el estado ideal para tomar decisiones trascendentales, como la del matrimonio, pero eso es lo que vamos a trabajar a continuación.

De esa mujer estuve enamorado, me enloquecí por ella, gocé cada palabra que pronunciaba y creí que ella era la realización de todas mis expectativas. Sus caricias me deleitaban y le daban una nueva forma a mi ser, la que ella quería. Fueron momentos plenos y realizadores, que creí que volverían a presentarse al verla de nuevo, pero no fue así, porque el enamoramiento es una etapa llenadora, arrasadora pero pasajera. Esa sensación de plenitud que se experimenta ante la enamorada no dura para toda la vida, tiene fecha de vencimiento. Y cuando pasa, nos devuelve a la tensión entre lo que ella es y lo que nosotros queremos que sea, o simplemente nos muestra que la otra persona no era como la idealizamos y sus defectos surgen como una tapia que impide el encuentro verdadero y marca una distancia abismal que parece insalvable.

Analizaré las características del enamoramiento y destacaré su origen y sus consecuencias: ¿Cómo y por qué se produce? ¿Cómo afecta la relación con la pareja?

EL ENAMORAMIENTO ES UN ESTADO DE PÉRDIDA DEL SENTIDO DE LA REALIDAD

Para entender el enamoramiento es necesario entender el deseo. Y creo que para ello puede ayudar el mito griego del nacimiento de Eros (Deseo):

"Cuando el nacimiento de Afrodita, hubo entre los dioses un gran festín, en el que se encontraba, entre otros, Poros [Abundancia], hijo de Metis [Sabiduría]. Después de la comida, Penia [Pobreza] se puso a la puerta para mendigar algunos desperdicios. En este momento, Poros, embriagado con el néctar (porque aún no se hacía uso del vino), salió de la sala y entró en el jardín de Zeus, donde el sueño no tardó en cerrar sus cargados ojos. Entonces, Penia, estrechada por su estado de penuria, se propuso tener un hijo de Poros. Fue a acostarse con él y se hizo madre de Eros. Por esta razón Eros se hizo el compañero de Afrodita, porque fue concebido el mismo día en que ella nació, además de que el amor ama naturalmente la belleza y Afrodita es bella. Y ahora, como hijo de Poros y de Penia, he aquí cuál fue su herencia. Por una parte es siempre pobre, y lejos de ser bello y delicado, como se cree generalmente. Es flaco, desaseado, sin calzado, sin domicilio, sin más lecho que la tierra, no tiene con qué cubrirse, duerme a la luna, junto a las puertas o en las calles, en fin, lo mismo que su madre, está siempre peleando con la miseria. Pero, por otra parte, según el natural de su padre, siempre está a la pista de lo que es bello y bueno, es varonil, atrevido, perseverante, cazador, hábil. Ansioso de saber, siempre maquina algún artificio, aprende con facilidad, filosofa sin cesar. Encantador, mágico, sofista. Por naturaleza no es mortal ni inmortal, pero en un mismo día aparece floreciente y lleno de vida, mientras está en la abundancia, y después se extingue para volver a revivir, a causa de la naturaleza paterna"[1]. Es bien elocuente que Eros sea el hijo de la abundancia y de la pobreza, de la riqueza y de la carencia. Indica que lo que se desea es lo que está presente en uno pero que a la vez no lo está.

El enamoramiento es deseo en cuanto que lo que tengo en mi ideal se hace concreto en una persona. Es la idealización de la pareja. El sujeto enamorado cree que la otra persona encarna el ideal que siempre ha tenido de compañero. "Lo que desencadena el enamoramiento de un sujeto por otro es una imagen y/o un rasgo que proviene de [...] quien el enamorado se ha fijado. No es lo mismo un rasgo que una imagen. La imagen suele ser totalizante, abarca al sujeto todo; es la imagen que él proyecta: de bienestar, de salud, de tranquilidad, de completitud [...], y que se suele adornar con cualidades. El rasgo en cambio no es totalizante, sino que más bien descompleta la imagen: es ese pequeño atributo del otro que llama la atención del enamorado; se puede tratar de un adorno que hace parte del sujeto: el color de sus ojos, su mirada, las trenzas de su cabello, su andar, sus pies descalzos, la forma de sus caderas o el color de su piel, un rasgo de su carácter, lo bondadoso o lo fuerte que sea, etc. Se trata de rasgos físicos o de personalidad, dependiendo de

---

1   Platón, *El banquete*, Buenos Aires, Argentina: Ediciones Lea, 2013, pp. 82-84.

cada sujeto, y ellos condicionarán en él su elección de objeto amoroso"[2]. Como diría Freud, el enamoramiento eleva el deseo sexual a ideal sexual[3].

Cuando rebobino estos 20 años que han pasado y analizo mi enamoramiento de esa mujer, descubro que ella era mi mujer ideal, en cuanto que representaba la actitud física —desordenadamente bella—, la actitud intelectual —capaz de cuestionarlo todo, de preguntarse una y otra vez por el sentido de las cosas— y los intereses extraños para esa etapa de la vida, como los de compartir un libro en vez de irnos a una fiesta. Sus palabras eran las que quería escuchar de boca de una mujer, sus ideas eran lo suficientemente desafiantes, como me gustan siempre, su físico era el que me llamaba la atención, exactamente por no ser el ideal de todos sino el mío nada más. Era la manera en que en ese momento la percibía, era la imagen que hoy tengo de ella. Ayer que volvimos a hablar ya no encontré todo eso que estaba seguro que residía en su ser. Era como si la imagen que tenía de ella hubiera cambiado, porque el ideal sigue siendo el mismo, aunque ahora un poco matizado con tantas otras experiencias.

Todo esto me deja claro que no se trata de cualquier imagen sino de la que mi propio ideal ha creado. Por eso, el enamorado no se enamora de cualquiera sino de alguien concreto, que tiene las características de su ideal. También por eso, de alguna manera la experiencia del enamoramien-

---

2   Revista *Poiésis*. N.º 24, diciembre del 2012, Funlam. Consultado en: http://www.funlam.edu.co/revistas/index.php/poiesis/index

3   Freud, S. "Introducción del narcisismo", traducción de J. L. Etcheverry, *Obras completas: Sigmund Freud,* vol. 14. Buenos Aires, Argentina: Amorrortu, 1984.

to es siempre una experiencia individual, pues sucede en el sujeto que se enamora. Es en su mente, en su ser, donde se cree que se ha encontrado a la persona perfecta. Realmente la relación con el otro está marcada por una tendencia narcisista a encontrarse en el otro, de creer que el otro encarna el ideal que se tiene en la mente.

El enamorado está convencido de que la otra persona fue creada, construida, para él, y que por lo mismo es su complemento perfecto. Frases como: "Esta es mi alma gemela" o "Es mi media naranja" así lo expresan. Se está seguro de que existe alguien perfecto para uno y que el trabajo es encontrarlo en el laberinto de la vida. ¿Cuántas veces has oído decir: "Ese es mi hombre; es como siempre lo soñé" o "Esa es la mujer perfecta, todo en ella me gusta"?

En esta etapa la pareja representa todo lo soñado: es el caballero azul esperado o la princesa que nos esperó en la torre custodiada por el dragón. No hay en ella nada que rechazar o criticar. Todo se le excusa. Todo se le justifica y se le comprende. Se pierde todo el sentido de la realidad porque no se mira a la otra persona como es, sino como uno desea que sea. El enamorado está prácticamente sumergido en un estado psicótico, en el que no ve la realidad como es sino como la sueña y la desea. Está seguro de que su felicidad depende única y exclusivamente de la relación con la otra persona. Por eso evita cualquier palabra, actitud o comportamiento que haga peligrar dicha relación.

No hay críticas, y todos los posibles desencuentros y malos entendidos que la rutina ocasiona son resueltos de manera comprensiva, solidaria y generosa. No hay tiempo para las peleas ni los cuestionamientos, sino para la complementación inteligente y disponible. La pasión que empuja esta etapa hace que todo lo vivido sea trascendente porque está conectado con el sentido último de la existencia; todo indica que sin esa otra persona no se puede vivir, no se puede ser feliz. La persona que el enamorado desea ocasiona un cambio total en su percepción: lo que antes no le gustaba, ahora, a causa de su presencia, a causa de lo que lo une con ella, es aceptable y válido. Ve los defectos como virtudes. Los errores, como aciertos creativos. Los malos entendidos, como oportunidad de comprender la verdad desde ángulos totalmente nuevos. La persona que es objeto de deseo tiene el poder para hacer que todo tenga un sentido y un significado.

El enamorado puede enfrentarse a su familia y a todo aquel que muestre las marcas de la realidad. Está seguro de que todos los que buscan mostrar los defectos de la otra persona lo único que quieren es acabar con su relación y por eso los ve como enemigos de su felicidad, tanto así que los rechaza. ¡Cuántos jóvenes toman decisiones realmente equivocadas en este estado de enamoramiento! Dejan a sus padres, viajan a lugares peligrosos, se entregan sin entender realmente quién es la otra persona y asumen por tanto riesgos muy grandes. Nada ni nadie los puede hacer entrar en razón porque nadie les va a quitar la oportunidad, según ellos, de ser felices.

Hay un continuo esfuerzo del enamorado por ver lo mejor del otro, y desde allí se relaciona. Busca compartir todo el tiempo y extraña la presencia de la otra persona. Está en permanente contacto con ella, le hace saber que la piensa a cada instante y todo lo que está a su alrededor le habla de la otra persona, como si el otro fuera el punto de enfoque de toda la vida. En algunos casos incluso hay una total despersonalización con tal de no perderla o distanciarse. El enamorado asocia su felicidad a la presencia de la otra persona: no hay ninguna posibilidad de estar sin ella y ser feliz al mismo tiempo.

Es impresionante que la Biblia asemeje la experiencia del enamoramiento a la enfermedad. Así expresa el libro sagrado lo que sentía Ammón por Tamar: "Se enamoró de ella tan apasionadamente, que se puso enfermo por ella" (2 S 13, 1-2). En ese estado, es tal la dependencia del otro, que todo se pone en riesgo y su ausencia puede ocasionar en uno una somatización que lo enferme. En esta situación no hay tiempo para la razón, para el entendimiento. El otro es el valor absoluto que determina todas las acciones, por lo cual no hay control de la vida. Se está a merced de esa persona. No es de extrañar que el enamoramiento en el contexto bíblico sea entendido como algo que pueda llevar a la enfermedad.

Es un estado de embobamiento total. Es como si por un momento perdiéramos todas las facultades de juicio, de crítica, apreciación de los defectos y de lo que no hace bien el otro. Ante la presencia de la persona de la cual se está enamorado, se abdica de todo derecho y hay entrega en total sumisión. No hay espacio para ver a nadie más y todo el "amor" se concentra en una persona específica.

Ahora bien: basta con un encuentro, con tomar conciencia de su presencia, para que se desencadene el estado extático del enamoramiento. El Cantar de los Cantares lo presenta en estos términos: "Me has enamorado, hermana y novia mía, me has enamorado con una sola de tus miradas, con una vuelta de tu collar" (4, 9). Es interesante también ver que el Deuteronomio resalta la gratuidad del enamoramiento y la exigencia intrínseca de reciprocidad: "Si el Señor se enamoró de vosotros y os eligió, no fue por ser vosotros más numerosos que los demás [...] sino que por puro amor vuestro [...] es un Dios fiel que mantiene su alianza y su favor a los que le aman" (7, 7.9).

No se puede explicar la razón por la que las personas se enamoran de alguien determinado. Algo desata esas descargas electromagnéticas en el cerebro que hacen que el enamorado ahora esté "embobado" por el otro, que espere siempre que el otro responda con la misma pasión. Normalmente es su presencia física la que ocasiona ese estado de enamoramiento. El impacto de su presencia en nuestros sentidos nos permite captarla de una manera muy positiva y exclusiva. Basta una mirada, una caricia, una palabra, para que se desencadene la experiencia fascinante del enamoramiento. Se insiste en la necesidad de exclusividad y de reciprocidad. Se sufre demasiado cuando no hay reciprocidad. La vida se pone al límite si no hay una respuesta favorable de la otra parte.

No hay límites de edad, de clase social, de capacidad académica cuando se está enamorado. Simplemente se valora la imagen de la otra persona como la concreción del ideal que se tiene. Recuerdo el diálogo con un amigo, enamorado de una mujer mayor que él. Ella estaba en una etapa de la vida en la que quería definiciones y tener claridad acerca de la forma como iban a satisfacer sus necesidades económicas, aunque eso pudiera prender las alarmas y hacerle pensar a él que esa no era la relación que quería. A él le parecía una manifestación de sensatez, decía que era la mujer con más claridad que había conocido y que lo que pedía era mucho menos de lo que ella merecía. Estaba enamorado.

Sí, el enamoramiento es un estado de pérdida del sentido de la realidad y por eso los enamorados son capaces de ver lo que realmente no existe o nadie más puede ver. Recuerdo a un joven amigo de los grupos juveniles de una parroquia de Barranquilla que siempre me hablaba de su novia y lo hacía con tal capacidad de descripción que se me volvió un desafío conocerla y contemplar todas esas bondades físicas e intelectuales que él me describía cuando conversábamos. Él dijo que ella era tímida y que lo mejor era que fuera un encuentro causal o que por lo menos así se percibiera. Por eso me dijo que estaría con ella en un restaurante de la ciudad el viernes a las 8 de la noche, que me apareciera por allá y él —orgulloso y dichoso— me presentaría a su linda y voluptuosa novia. Llegué puntual, como siempre, y lo vi en una mesa cercana con una niña que no correspondía en nada a las descripciones que él me había hecho durante tanto tiempo. Después de esperar unos 10 minutos —que son muchos para mí, como saben los que me conocen—, me acerqué, porque tenía la certeza de que su novia no había llegado. Cuando me aproximé, me di cuenta de que los ojos brillantes de mi amigo y algo de baba en su boca abierta me decían que la muchacha con la que conversaba era su novia. Solo atiné a sonreír y a darme cuenta de que definitivamente el enamorado está fuera de la realidad.

EL ENAMORAMIENTO ES UN ESTADO BIOLÓGICO

Aunque el enamoramiento se expresa a través del llamado "lenguaje del amor", hoy en día se tiene claro que el que se enamora es el cerebro. Las manifestaciones del corazón que salta y las mariposas que se sienten en el estómago al ver a la persona "amada" son consecuencia de lo que está pasando en el cerebro. Es en este órgano donde se dan y se ordenan todos los cambios bioquímicos que se manifiestan en lo que conocemos como enamoramiento. Se sabe también qué pasa en el cerebro humano en el momento del enamoramiento. Los científicos han estudiado qué se desencadena en la corteza cerebral de aquella persona que, al quedar impactada por la presencia de otra, se enamora de ella.

Como dice Alfred Tobeña, la explicación de esas manifestaciones siempre está en el cerebro sexual: "Los amores y los afectos prenden, crecen y mueren como resultado de formidables conciertos neuroquímicos. De cocteles neurohormonales al servicio de la germinación, la cristalización o la fractura de los lazos afectivos. Los desasosiegos sexuales, el arrebatamiento amoroso y las suaves cadencias de la ternura y el cariño dependen del trasiego de sutiles señales neurales que modelan, a su vez, unos engranajes moleculares no menos intrincados en regiones particulares del cerebro sexual"[4]. Así, queda claro que son combinaciones de neurotransmisores y hormonas las que producen ese estado de enamoramiento.

Semir Zeki[5] estudió imágenes del cerebro de personas en estado de enamoramiento ante la presencia del ser querido y observó cómo se activaban el cingulado anterior, que tiene que ver con las emociones positivas; la corteza insular, que permite una interpretación visual determinada, y el núcleo caudado y el putamen, que son las estructuras que manejan los mecanismos de motivación y recompensa. Además, Zeki vio que otras zonas del cerebro se desactivaban o permanecían inactivas, entre ellas, el giro posterior del cíngulo, que tiene que ver con las manifestaciones de tristeza, y la corteza prefrontal derecha, que se asocia con la depresión. Llama la atención que el córtex anterior cingulado es el que responde

---

4   Tobeñas, A. *Anuario de Sexología* 2009, N.º 11. Universidad Autónoma de Barcelona, pp. 43-47

5   Bartels, A. Zeki, S. "The neural basis of romantic love". Scientific Journal Neuroreport. Septiembre del 2000.

al estímulo de las drogas sintéticas como la llamada cb2, la droga del enamoramiento.

La presencia de la persona "amada" ocasiona unos cambios cerebrales que causan euforia y motivación en el enamorado, le permiten ver al otro positivamente y lo predisponen para no encontrarle ningún error, porque, al estar inactiva esa parte de la corteza cerebral, se anulan las posibilidades de efectuar juicios críticos. El enamorado vive prácticamente la misma experiencia que alguien que ingiere una droga sintética y que por unos momentos se sumerge en el mar de la felicidad.

Helen Fisher[6] deja claras las reacciones bioquímicas que se producen en el cerebro de un enamorado: se dispara el nivel de los neurotransmisores dopamina y norepinefrina, y se baja el nivel de serotonina. Esta combinación produce una gran euforia, dependencia y deseo sexual, y un querer estar al lado del ser amado. Por eso, no hay tiempo para nada distinto de pensar en la persona amada. El enamorado experimenta menos dolor y todo le parece perfecto. En pocas palabras, pierde el juicio. Las descargas electromagnéticas que se ocasionan en el cerebro llevan a los enamorados a ser incansables en las relaciones sexuales: no hay fatigas, no hay rutinas, todo es placentero y realizador. Hay un sentimiento de plenitud al lado del otro quien, aparentemente, cumple todas las expectativas que se tiene sobre una pareja.

En este estado ocurre una combinación que implica sustancias sexuales y neurotransmisores. Primero se activan los esteroides sexuales, preferentemente los andrógenos. A esos motores se les añade el disparo de los sistemas centrales de

---

6   Cfr. Fisher, H., *Por qué amamos*. Madrid: Taurus, 2005.

dopamina y noradrenalina. Es un coctel combinado de esteroides sexuales más neurohormonas[7]. En concreto, el cerebro se inunda de feniletilamina.

Esta combinación bioquímica y las transformaciones en la corteza cerebral ocasionan las actitudes que caracterizan el enamoramiento como un estado de pérdida del sentido de la realidad que lleva a la idealización de la otra persona y a la asociación de su presencia con la fuente única de la felicidad. Estos factores bioquímicos hacen que no haya ninguna posibilidad de análisis crítico y que todas las condiciones de la otra persona, por extremas, extrañas o destructivas que parezcan, sean asumidas como una posibilidad de realización. Aún más: con tal de estar al lado del otro, se asumen los riesgos más irracionales y se asumen posiciones que van en contra de toda lógica.

Se genera un ritmo de pasión, de emoción, de euforia bastante alto e intenso, que causa a su vez toda esa sensación de felicidad y de realización al lado de la otra persona. Se vive a una gran velocidad y se está seguro de que en cada situación en la que está implicada la persona de la que estamos enamorados se juega el futuro de la propia vida e incluso del planeta y del universo. Podríamos decir que el enamorado se encuentra en estado de felicidad. En sus estudios, Fisher también mostró que los circuitos neuronales del estado de enamoramiento son distintos a los de una relación duradera. Concluyó que el enamoramiento y el amor son dos realidades diferentes y que el primero es la etapa inicial de la relación amorosa.

---

7   Cfr. Tobeña, A. *El cerebro erótico: rutas neurales de amor y sexo*. Madrid: La Esfera de los Libros, 2006.

Es interesante estudiar todos estos cambios, porque nos muestran que el enamoramiento no es realmente un acto voluntario sino la consecuencia de todo ese coctel biológico que se da en el cerebro del enamorado. Esto no nos libera de la responsabilidad, pues el ser humano siempre puede tomar decisiones y esforzarse por salir de cualquier determinación biológica, pero sí nos hace entender que el enamoramiento se trata de algo que va más allá del simple querer.

EL ENAMORAMIENTO ES UN ESTADO PASAJERO

"El enamoramiento es una etapa intensa, llenadora, entusiasta, alegre, que todos en algún momento vivimos"[8], pero es pasajera. Se acaba y abre espacios a otro tipo de experiencias. Debe tenerse claro que nadie puede estar enamorado para siempre y que lo normal es que esta sea una etapa transitoria. Cuando esta empieza a terminarse, es necesario que rápidamente se produzca un proceso de habituación que permita a las personas controlar lo que está pasando y poder seguir adelante en la vida. Aquí comienza a darse la transición del enamoramiento a la etapa siguiente.

Durante el enamoramiento, los neuroquímicos fluyen a altas velocidades y en grandes cantidades. El ser humano no puede vivir a este ritmo emocional por mucho tiempo. Ese estado de hiperactividad neuronal no puede ser para siempre, porque nadie lo resistiría. El estado de enamoramiento tiene un tiempo de duración, y he allí su mayor dificultad. Si se pudiera estar enamorado eternamente, todo ser humano sería feliz y no existirían los problemas matrimoniales. Pero

---

8   Linero, A., *Sin libertad no hay amor.* Bogotá: Editorial Planeta, 2014, pp. 65-76.

al pasar el enamoramiento, hay que enfrentar las decisiones tomadas mientras se estaba en ese estado de idealización total.

Al bajar los niveles de serotonina, el cerebro va volviendo poco a poco a su estado de serenidad y va comenzando a darse cuenta de la realidad en la que está metido. Comienza el proceso de desidealización de la pareja y la comprensión de su propia realidad. Lo que antes no se veía por culpa de la idealización comienza ahora a ser cada vez más claro y diferenciado. El otro no es tan perfecto como se creía, tiene defectos, limitaciones, reacciones equivocadas y ahora comienza a ser percibido tal cual es.

No es de la noche a la mañana como sucede esta "salida" del enamoramiento, sino que la cordura va ganando poco a poco su batalla a la locura y va haciendo que el ser humano vuelva a tener el control de su vida en sus manos. Seguramente compartir tanto tiempo, la rutina, los pequeños o grandes roces que la vida en común va generando, la posible aparición de otra persona "ideal" encarnada en una mujer o un hombre distinto a la pareja que se tiene, va haciendo que el enamoramiento pase y que pronto se inicie una etapa del amor marcada por la realidad y la madurez. Los estudios dicen que el enamoramiento puede durar entre unas horas y 4 años. Lo normal es que nadie esté enamorado más tiempo.

Es tal la habituación del cerebro a los cambios bioquímicos del enamoramiento, que llega un momento en el que se necesita algo más para volver a sentir toda esa sensación de plenitud que se tenía. Algunos creen que ha llegado al final el "amor" y comienzan a decir que ya no tienen las mariposas en el estómago que antes tenían o que no están sintiendo todo lo que antes experimentaban. Declaran en medio de lágrimas: "Algo ha pasado, ya no siento lo mismo por mi pareja".

No es de extrañar que después de la etapa del enamoramiento siga una etapa de tristeza, de depresión, de sentimiento de abandono. Cuando se bajan los niveles de feniletilamina comienzan a presentarse las características de un síndrome de abstinencia. No es de extrañar que los "exenamorados" comiencen a ingerir altas dosis de chocolate, rico en feniletilamina.

En el mejor de los casos, el enamoramiento debiera dar paso al amor. Esto puede ocurrir cuando quien hasta ahora estaba extasiado, idealizando a la pareja, es capaz de darse cuenta de la realidad de la otra persona y aun así prefiere estar con ella, porque le representa esa compañía que le hace caminar a paso seguro por la senda de la realización. Con seguridad ya no se presenta la pasión y el embobamiento de los primeros días, pero sí la serenidad del que sabe que ama a alguien que existe en realidad y no solo en su mente.

La situación se hace difícil cuando ese paso del ideal a la realidad es asumido como una decepción, como una estafa, como un engaño: "No eras como yo lo creí", "Me has engañado", "He luchado por lo que no vale la pena", "Definitivamente todo este tiempo fue perdido". Estas expresiones se le escuchan a quienes están viviendo el momento del desenamoramiento y no comprenden que la responsabilidad no es de los demás, a quienes acusan al otro de no alcanzar la altura de su ideal y a quienes creen que alguien puede llenar el molde de su ideal de pareja.

Las decisiones tomadas en ese estado de enamoramiento, ahora que todo ha vuelto a la realidad, se presentan como auténticas cruces, porque ya no existe la pasión y la alegría para asumir sus consecuencias. El estar juntos, que antes se manifestaba como expresión de la felicidad, ahora se experimenta como una invasión y una absorción total del tiempo personal. Las llamadas que antes eran manifestación de estar en contacto y de querer saber lo que el otro estaba haciendo a cada instante, ahora se presentan como una manifestación de control, de entorpecimiento de la capacidad de decidir del otro. Los defectos que antes eran asumidos como auténticas oportunidades de conocer mejor a la otra persona y de cambiar lo que se necesitara, ahora se experimentan como abismos que separan y que no permiten compartir nada. Después del enamoramiento las constantes caricias, que expresaban toda la pasión que había en el corazón, se experimentan como intensidad y como violación constante del espacio personal. Las conversaciones que generaban el descubrimiento de nuevas respuestas que iluminaban la relación ahora son vistas como una pérdida de tiempo y terminan en discusiones sin ningún sentido. Las atenciones que eran muestras de amor ahora parecen declaraciones de que al otro se le percibe como inútil, incapaz de hacer las cosas por sí mismo. Toda esa sensación de plenitud ha pasado y se vuelve a las tensiones normales de la vida, a la lucha por tener lo que se desea, a los límites y negaciones de la realidad. Todo ha cambiado. Y se vuelve a tener ese gran deseo por la realización, por la felicidad.

Lo ideal es que se entienda que ese estado no se concreta en una persona ni en una relación, sino en la armonía que se logre construir en la relación consigo mismo y con los demás, y en una experiencia de trascendencia. El paso al amor posibilita un estado de seguridad y de firmeza para seguir adelante en la construcción del propio proyecto de vida. Habrá otras sensaciones y emociones, las que genera la realidad y no la idealización.

Dolorosamente, "muchas personas son adictas a estar enamoradas, a experimentar la emoción intensa que los hace sentir vivos y capaces de realizar lo impensable. Estas personas terminan sus relaciones cuando la magia de haber conocido a alguien nuevo desaparece; cuando empiezan a ver defectos en la otra persona y a darse cuenta de que no es tan perfecta como pensaban, pierden la emoción que esta les causaba, y concluyen que lo mejor es terminar la relación. Y salen en busca de algo nuevo, [de] otra persona, [de] nuevas viejas emociones"[9]. Se encuentran súbitamente en la misma situación de los adictos a las drogas que, en busca de la sensación de la primera "traba", terminan padeciendo una sobredosis que los lleva a la muerte. Hay que tener cuidado con cualquier tipo de adicción, porque lo normal es que ellas nos destruyan. Esto genera una actividad afectiva bastante inestable y marcada por distintas parejas, que llevan a la persona a la inseguridad y a estar siempre deseosa de conseguir ese "estado" de felicidad que es el enamoramiento.

Son muchas las parejas que he acompañado y que dolorosamente se han casado en la cresta de la ola del enamoramiento, con la seguridad de que serán felices para siempre y de que esa persona con la que están frente al altar las hará plenas, como lo ha hecho hasta ese momento. Son personas que no entienden razones ni argumentos contrarios. Es mucho el tiempo que he invertido tratando de hacerles conscientes de que están cometiendo un error y de que todo lo que están sintiendo puede ser pasajero y debería ser

---

9   Linero, A., *Sin libertad no hay amor*, Bogotá: Editorial Planeta, 2014, pp. 65-76.

pensado, analizado con mayor tranquilidad y tiempo. Dolorosamente he fracasado en mi tarea de persuadirlos de esperar y han decidido casarse. Luego de un tiempo de convivencia los he encontrado heridos profundamente, decepcionados, frustrados y decididos a separarse, con la certeza de que la única manera de hacerlo es enfrentar una guerra total.

Habiendo pasado el enamoramiento, rechazan con todas las fuerzas de su corazón esa experiencia de enajenación que ahora les hace sentirse frustrados, engañados y estafados, pero sobre todo se sienten impulsados a separarse de manera abrupta y rápida, causando una ruptura muy dolorosa. Incluso la separación hay que realizarla con total tranquilidad, racionalidad y generosidad, para que no sea un ancla para toda la vida.

Los cuentos de hadas describieron la vida en el matrimonio con un "y fueron felices", que es falso, irreal y poco humano. Lo normal en las relaciones humanas son los desencuentros, los malos entendidos, las tensiones, los miedos, sí, pero también la superación de todos esos obstáculos para construir consensos, comunión y una unidad realizadora. En mis conferencias me burlo de las historias de fantasía y digo que nadie supo que Blanca Nieves se separó porque su primer hijo nació enano y el príncipe no lo pudo soportar, o que la Bella Durmiente está en terapia de pareja porque tiene muchos problemas de insomnio y eso ha puesto en jaque su relación con el príncipe. Eso se parecería más a la vida que lo que nos han contado desde niños.

Al enamoramiento le sigue la realidad y está en cada quien aceptarla y tomar la clara decisión de amar para siempre o decidir definitivamente que se prefiere tener otra experiencia con otra persona. Lo cierto es que nadie puede quedarse enamorado eternamente de la misma persona después de haber compartido un tiempo considerable con ella en una relación.

EL ENAMORAMIENTO NO ES EL ESTADO IDEAL PARA TOMAR LA DECISIÓN DEL MATRIMONIO

Después de todo lo que se ha reflexionado, debe quedar claro que el enamoramiento no es el estado ideal para decidir comprometerse en matrimonio, menos en el contexto católico, en el cual el matrimonio es para toda la vida. Una decisión tomada en este estado de alienación está llamada al fracaso, porque muy seguramente, cuando esa etapa pase, las personas no van a entender los sacrificios y los compromisos que han asumido.

Así como en las crisis no se toman decisiones, en la etapa de enamoramiento no se pueden tomar decisiones que exijan plena conciencia y libertad. El sentimiento de estafa que alguien experimenta cuando le ha pasado el enamoramiento y se encuentra sometido a las condiciones existenciales del matrimonio es mayúsculo y genera mucha frustración. Acostarse con la persona ideal y levantarse con la persona real implica una transición muy fuerte que no puede ser soslayada. E insisto: la separación puede ser muy traumática y dañina.

Casarse enamorado implica hipotecar la relación a la duración de esa sensación emocionante, irracional, llenadora, ilusionante e impulsadora. Si uno se casara cada vez que está enamorado, tendría muchas parejas en la vida, porque el enamoramiento es una experiencia recurrente en la existencia de los seres humanos. Pero eso implicaría una gran inestabilidad, tanto para uno mismo como para los hijos que pueda tener.

Estoy convencido de que el enamoramiento puede dar paso al amor, y que el amor puede asegurarle a la pareja un resto de vida feliz. Esa etapa de irrupción de las neuronas puede dar paso al conocimiento, la aceptación y la valoración de la otra persona tal cual es y a decidir compartir con ella el resto de la existencia. Esto implica ser consciente y libre a la hora de tomar la decisión de contraer matrimonio.

Como presbítero, una de las realidades que más me golpea es que las parejas se casan sin mucha preparación. Organizan con mucho detalle y dedicación la boda, pero no el matrimonio como tal. Creen que la felicidad está relacionada con un momento memorable, por las mariposas que circundan el lugar del matrimonio, la música angelical que casi nadie disfruta, los vestidos elegantes y estrechos que dan un aire de irrealidad muy grande y los arreglos florales que aparentan un paraíso. Olvidan que la felicidad está asociada con la vida, con las experiencias que siguen a partir de la boda, que la celebración del matrimonio no es un punto de llegada sino un punto de partida, que la felicidad debe relacionarse con la convivencia, con la comunicación, con los valores y con lo salud mental que cada uno tiene.

Creo que se debe diseñar una pastoral que exija mayor tiempo de preparación para quienes se van a casar, de tal manera que las personas no respondan a los impulsos de los cambios bioquímicos de su cerebro, sino que obtengan la seguridad y la conciencia necesarias sobre lo que están haciendo y a lo que se están comprometiendo. Cuántas frustraciones, decepciones y tragedias existenciales se habrían evitado si se hubiera aprendido desde hace mucho tiempo que cuando se está enamorado es mejor evitar casarse. Para amar en la realidad hay que tener los pies puestos en la tierra y los ojos bien abiertos.

Todavía me hace llorar el matrimonio de una pareja que me buscó por cielo y tierra para que celebrara su matrimonio. Tuve que hacerlo en contra de mi convicción de solo casar personas de cuya relación pueda dar fe y enfrentar la realidad de que a los 15 días de casados decidieron separarse porque él roncaba demasiado y no quería operarse, lo cual era para ella una clara afirmación de que no la amaba lo suficiente. Lástima que el enamoramiento hubiera durado tan poco y que un detalle —que muchas parejas que se aman hubieran sabido solucionar— se haya vuelto argumento para tirar todo al traste y decir que no querían volverse a ver más.

EL AMOR

Si el enamoramiento es idealización, el amor es realidad. Se ama al otro en su realidad, en su complejidad, con todas sus características y desde su diferencia. Se ama porque su ser se presenta como aquel con el que puedo construir, de manera exitosa, mi proyecto de vida. Se ama porque se coincide con él pero a la vez se está totalmente lejos de él; se tiene presente en el corazón, pero a la vez ausente todos los días, y por eso se busca cómo tenerlo.

El amor es un estado emocional pero también es una decisión. Es un estado emocional en cuanto se viven unas sensaciones, emociones, sentimientos muy concretos, propiciados por secreción de hormonas como la oxitocina. El otro ocasiona esa sensación de estar pleno, feliz, de estar con la persona correcta y querer vivir con ella siempre. Pero no todo es sentimiento, sino que también incluye una decisión. Es un acto de la voluntad el que me hace elegir, preferir, estar con esa persona —que concreta muchas de las características que se busca en un ser humano—, aunque no sea perfecta. Como decisión exige salir de sí mismo y dar los pasos requeridos para ello. Siendo una decisión, el amor exige que la persona sea consciente de sí misma y del otro, de lo que los caracteriza a ambos. Sin esa clara conciencia se podría estar confundiendo el amor con cualquier otra manifestación afectiva. También se necesita libertad, es decir, la decisión de amar forma parte de la autodeterminación del ser humano y no de ninguna presión externa y, a la vez, se necesita la certeza de querer construir cada vez más esa relación, con alegría, generosidad, solidaridad y sacrificio.

No quiero entrar en una definición precisa del amor, pero sí quiero mostrar las condiciones del verdadero amor, de ese que puede hacer que una relación dure para siempre, que permite que las personas lleguen a ser mayores amándose y queriéndose. Así veo a mis papás que cumplen 48 años de casados.

No hay amor sin conciencia

Sin tener claro quién es la otra persona y qué la caracteriza, no hay verdadero amor. Este siempre parte de la constatación real de la otra persona. No es una idea, no es una imagen, no es una ilusión: es una persona real y concreta. Se rompe el sentimiento narcisista de proyectar en el otro el ideal que se tiene si se asumen las formas, las maneras, las condiciones que definen realmente a la otra persona. Si el enamoramiento es una experiencia individual, el amor es siempre una experiencia dialogal. El amor implica, en esta toma de conciencia, una salida de sí mismo para ir al encuentro del otro. No se trata de una experiencia intimista sino de una experiencia que se da en el encuentro con el otro sujeto.

Se ama a personas de carne y hueso, que están cerca, con las que se puede interactuar, con las que se pueden tener discusiones y malos entendidos. Se ama a quien hace sentir toda la pasión que se posee y con quien se pueden contar las estrellas en la noche. ¡Cuidado con los mitos, las idealizaciones infantiles y los "amores platónicos"!, que no son reales, que no son sanos y terminan siendo una barda para lograr la verdadera felicidad.

Si no hubiera visto a esa exnovia ayer, seguiría creyendo que existía tal como la idealicé y no como ella realmente es. No es desagradable, no es fea, al contrario, me parece atractiva e inteligente, pero no es la de los sueños. Esa parece que no existió en la realidad sino solo en mi mente.

No hay amor sin libertad

El amor nace del corazón libre, no de presiones externas ni de condicionamientos. Es expresión de la libertad humana. Tiene que haber lucidez y nunca enajenación al decidir amar. Por eso lo normal es que se noten las grandes diferencias que hay entre el ideal de pareja que tienes y la persona a la que estás amando. Ella es un ser único e irrepetible y por lo mismo no tiene por qué realizar todas las expectativas de tu mente. Hay que ser consciente de que la persona no es perfecta, pero que aun así quieres tomar la decisión de vivir un compromiso de vida con ella y optar, así, por el ser humano. Aquí es cuando tu decisión del amor se manifiesta libre de verdad. Si no hay características del otro que no te gusten es que realmente no lo amas sino que te has enajenado. Seguro son muchas más las características que te agradan, pero esas que no te agradan son la garantía de que se fincan en algo real.

En las ilusiones todo es como se sueña y se quiere. Cuando todo es perfecto y la persona "amada" expresa la realización de tus ideales, seguramente no estás siendo completamente libre, pues lo más probable es que te encuentres enajenado por lo que la otra persona representa en tu imaginación. Creer que todo lo que encuentras en tu pareja es bueno se puede entender como un estado de idealización que podría llevarte a experimentar desilusión cuando el otro se equivoque, al igual que todos los seres humanos. "Frecuentemente en la Biblia el lugar de la máxima cercanía a Dios es el lugar de la más fuerte tentación. De ahí la ambigüedad bíblica del desierto (lugar de purificación y de idolatría), de la oración (lugar de encuentro con Dios, pero también de hipocresía y autoengaño), del otro (lugar del amor y del odio)"[10]. El que ama es consciente de que el otro también tiene sombras en su vida, pero lo acepta así porque descubre que no son tan grandes o tan espesas como para oscurecer la relación.

Jorge me decía que Luciana es una mujer maravillosa para él, que le gusta mucho y que siente muchas ganas de estar a su lado, y que si no fuera por algunas pequeñas actitudes, diría que era la mujer perfecta para él. Yo le decía que así es el amor: uno se da cuenta de que la otra persona no es perfecta pero que siente que su felicidad está comprometida con la felicidad de ella. Tanto Jorge como Luciana son conscientes de la necesidad de seguir conociéndose, comprendiéndose, ayudándose, pero entienden que cada uno representa para el otro mucho de la pareja perfecta que algún

---

10   Aguirre, R. *Del movimiento de Jesús a la Iglesia cristiana.* Estella (Navarra), España: Verbo Divino, 1998, p. 57.

día soñaron, y por eso están juntos luchando por ser felices todos los días.

No hay amor sin alegría, goce y placer

El amor —y en especial el de pareja— tiene que llenar de alegría el corazón del que ama. No se ama para sufrir y padecer sino para sentirse lleno, pleno y realizado. El estar con la persona amada se tiene que experimentar como solaz en medio del desierto de la vida. El amor exige una relación que gratifique y haga sentir a las personas valoradas, reconocidas, amadas. Es esta experiencia la que permite que algunos quieran seguir amando a la misma persona. La alegría de compartir la vida no se puede perder y es siempre motivo de prolongación de la relación. Cuando esta se pierde, la relación comienza a volverse insoportable y a estar en crisis.

Quien no evita que sufras no te ama y no merece que estés a su lado. Nadie que te haga daño, deliberadamente, te ama. Estar con el ser amado tiene que producirte sentimientos positivos, tienes que querer estar a su lado. Si no te gusta estar al lado de esa persona, no creeré que la amas. Aquí hay que tener cuidado con muchos de los mitos que se desarrollan en torno a las relaciones de sufrimiento y dolor como relaciones de amor realizador (los trabajaremos más adelante). Cuántas mujeres maltratadas y abusadas emocional, física y psicológicamente hay por creer que el sufrimiento es una condición del amor. Toda persona debe tener claro que no le puede permitir a nadie que abuse de ella, ni siquiera en nombre del "amor" o de Dios, porque tanto el amor como Dios —que en el contexto cristiano son lo mismo— siempre propician lo mejor para las personas y nunca quieren verlas destruidas y humilladas.

NO HAY AMOR SIN GENEROSIDAD, SOLIDARIDAD Y SACRIFICIO

No es cierto que se ama para sufrir. Al contrario, se ama para ser feliz. Sin embargo, sí es cierto que la condición humana exige pasar por momentos difíciles y situaciones complicadas. El hecho de que coincidan en la misma persona características que crean felicidad y otras que ocasionan dificultades es ya una realidad que exige generosidad, solidaridad y sacrificio.

Lo mismo debe decirse de esa dialéctica en la que se vive de querer poseer totalmente al otro pero sin comprometer la singularidad y la libertad propias. Para poder amar al otro hay que ser generoso y dar lo mejor de sí, sin ninguna pretensión distinta a la de brindarle ayuda para que sea feliz. Aceptar sus condiciones, asumir sus límites y compartir sus adversidades son la consecuencia de la generosidad. No es posible de otra manera. Es necesario decidir vivir a favor del otro para materializar ese impulso interior de hacerle el bien.

Para poder amar hay que ser solidario, esto es, comprender que la vida exige unir esfuerzos, sumar fuerzas y aunarse en torno a objetivos que benefician a todos. Con indiferencia no se puede amar. La persona que se ama es importante en la vida, cuenta para sí y se desea que pueda sonreír y gozar todo. Se le quiere ayudar a realizar su proyecto de vida solo por el placer de sentirla feliz. Estoy seguro de que para poder amar se necesita tener una buena capacidad de sacrificio. Quien entiende la vida solo desde su ego y desconoce la importancia de los demás no puede amar.

El amor rompe la tendencia narcisista de amarse a sí mismo en los demás y descubre al amado como otro, como un par que merece el mismo amor que uno. Muchas veces hay que aplazar el placer, violentarse interiormente para hacer o dejar de hacer algo a favor del otro. Esa lucha, ese esfuerzo, consiste en sobreponerse a los dolores y a los miedos que la ausencia o la redundancia de los otros nos pueden ocasionar. Tener y no tener a la persona amada es ya motivo de dolor, pero a la vez es fuente de impulso y motivación para seguir luchando por ella. Las prioridades deben tener en un buen lugar a la persona amada, se debe contar con ella y duele que no esté bien.

Cuando ahora veo a mis papás agarrados de la mano caminando por la playa y sonriendo por los logros que van teniendo sus hijos y sus nietos, me acuerdo de todas las situaciones duras que tuvieron que pasar para llegar a este momento: peleas, amenazas de separación, silencios, indiferencias, etc. Todas esas emociones las experimentaron, pero también se propusieron superarlas y seguir adelante. No son perfectos y han tenido momentos de dolor, pero por encima de todo continúan viviendo su decisión de amarse para siempre.

No hay amor sin caricias y expresiones afectivas

El amor es siempre un creer en el otro. Un apostar a que el otro quiere que tú seas feliz, un saber que tu vida le interesa y que tu felicidad forma parte de sus prioridades. No puedes demostrarlo plenamente, pero sabes que es así, es una certeza existencial que tienes. Es una apuesta porque no tienes la demostración física —en el laboratorio— de que es así. No hay un contacto directo con la conciencia del otro que te asegure plenamente que te ama. Siempre es una experiencia mediada por palabras y acciones.

Por eso, solo puedes dar por válido y verdadero el amor cuando se expresa en palabras, gestos, actitudes, acciones. Sin estas manifestaciones, el amor corre el riesgo de ser sentimentalismo y emociones vanas que no transforman ni cambian a nadie. Te ama quien no te hace sufrir de manera deliberada y lucha por evitarte sufrimiento. El amor exige la decisión clara y consciente de querer hacer feliz a la pareja y eso debe quedar mostrado en acciones concretas. Unas expresiones ambiguas hacen dudar del amor. "Te amo pero no me duele verte sufrir" es una contradicción existencial muy fuerte que demuestra que no se es sano mentalmente.

No se puede dejar que los miedos moralistas lleven a las personas a negarse la oportunidad de acariciarse y expresarse todo lo que sienten libremente. Se necesita sentir el toque de la mano de la otra persona y sus labios en un buen beso. A eso no se puede renunciar.

La complejidad del amor

Los griegos tenían varias palabras para mencionar el amor[11], pero destacaban tres que nos ayudan a comprender mejor el amor de pareja: *eros, philia* y *ágape*. Una buena relación de pareja debe estar compuesta por estas tres experiencias afectivas. Su presencia le da a la relación el ambiente que requiere para ser agradable, realizadora, plena y duradera. No hay proporciones determinadas para las tres, pero tienen que estar presentes de manera armónica para que pueda haber satisfacción en la vida.

---

11   Por lo menos conozco siete: *eros, philia, ludus, pragma, ágape, storgé, philautia.*

El amor como deseo (*eros*)

El *eros* lo entiendo como el deseo pasional. La pareja debe de ser fuente de tu deseo sexual. Es alguien con quien quieres compartir una experiencia sexual. Te atrae su físico, sus formas, sus maneras. Tienes química con esa persona y quieres compartir con ella momentos de placer. Una relación de pareja sin esta dimensión sexual se vuelve sosa, poco gratificante y termina acabándose. La sexualidad —y en particular la genitalidad— tiene que ser vista como un componente necesario, valioso y fundamental en la relación de pareja. Hay que trabajar constantemente para que esta dimensión no se pierda. Los miembros de la pareja tienen que hacer lo posible por encontrar espacios, situaciones, posibilidades para expresar su deseo y para hacerlo crecer.

Es seguro que el deseo va cambiando según va avanzando la dinámica de vida de la pareja, pero no puede desaparecer. Una pareja de recién casados seguro encontrará en el deseo uno de los puntos de convergencia más fuerte y dedicarán mucho tiempo a esto, pero una pareja que lleva 15 años de matrimonio seguro tiene puntos de convergencia distintos, pero sin descuidar el deseo. Una relación de pareja sin *eros* no es propiamente una relación de pareja sino de amigos, de hermanos, de socios, etc. La otra persona te tiene que atraer, te tiene que hacer reaccionar y te emociona para compartir la vida con ella.

El deseo no se acaba en las formas físicas. También hay muchos comportamientos y actitudes que son catalizadores del deseo. Con seguridad, en el enamoramiento el deseo es mayor y casi la única razón de ser de la relación de pareja, pero, como he dicho anteriormente, ese nivel de pasión no puede permanecer todo el tiempo porque nadie lo aguantaría, y muta a niveles más mesurados pero igualmente intensos. La pasión da color a la relación y hace que esta sea agradable y placentera. Muchas de las relaciones de pareja fracasan porque descuidan esta dimensión. Sus miembros tienen miedo a vivir a plenitud su sexualidad, lo cual implica siempre tener presentes la creatividad, la entrega, el respeto y el aprecio por la dignidad del otro.

Me ha impresionado cómo hay parejas que han pasado por situaciones duras, como por ejemplo cambios bruscos en el físico de uno de sus miembros —amputaciones, cirugías, etc.—, buscan nuevas fuentes de ese deseo y construyen una relación satisfactoria. Entienden que su relación no puede soslayar el deseo y saben que este no está anclado únicamente en las formas físicas y que deben trascenderlas para encontrarlo en otras realidades.

Esta dimensión es muy íntima y personal, por eso no se puede estar comparando con la de los demás ni puede estar sujeta a los comentarios —en su mayoría exagerados— que otros hacen, aunque esto no significa que en el momento necesario no se busque ayuda de personas idóneas que puedan apoyar la asunción y desarrollo de este tema hasta que pueda asumirse plenamente. Desde la dimensión moral es oportuno tener claro el límite del respeto y de la dignidad, esto es, que no se violente a nadie ni se vuelva simplemente herramienta del propio placer, sino que se recuerde que es un sujeto que también tiene sus propios deseos.

PREGUNTAS PARA REFLEXIONAR

- ¿Deseas a tu pareja?
- ¿Cómo es tu vida sexual y genital con ella?
- ¿Son fuentes de placer el uno para el otro?
- ¿Te vistes de manera que a tu pareja le guste?
- ¿Le hablas al oído y le dices lo que sabes que le gusta escuchar y lo hace sentir deseado?
- ¿Cuidas tu físico y tu apariencia?

El amor como complicidad (*philia*)

Entiendo la *philia* como complicidad, como amistad, como camaradería. En la época del Facebook y de los *likes* es complicado entender todo lo que significa ser amigo. Una sociedad que llama "amigo" a todo el que te sigue en una red social tiene un concepto de la amistad muy superficial. La relación de pareja exige una comunión que va más allá de la dimensión físico-química del deseo.

Los que se aman también son amigos; comparten gustos, tendencias, planes, sueños. Pueden compartir el tiempo juntos, conversar sobre esas realidades que les son afines, en las que tienen puntos de vista que se encuentran, en las que sienten que está lo importante de su vida. Es el compartir por compartir, por el placer de ser escuchado por alguien que te interesa mucho. Se sienten impulsados y ayudados en la realización de sus propios proyectos. Aquí se salvaguarda la singularidad del otro. No quieren absorberse entre sí sino que se ayudan a ser quienes son. Es el espacio en el que se descubren dos seres humanos sanos y dispuestos a luchar por la construcción de su proyecto de vida.

Me gusta la palabra complicidad porque de alguna manera muestra la realidad de sentirse resguardado, protegido, no rechazado a pesar de los errores, de los miedos, de las equivocaciones, de las miradas distorsionadas que se tienen. Se ejerce la complicidad en el instante en que no te da miedo compartir las barbaridades que has pensado, que has sentido, que tienes dentro, porque sabes que del otro lado está alguien que no te va a señalar sino a comprender, y que incluso se reirá contigo de eso que otros verían como una tragedia.

En el contexto bíblico me impresiona mucho la experiencia de David y Jonatán[12]. Ellos se declaran amigos, aunque en principio podrían haber sido rivales, ya que Jonatán es hijo del rey Saúl y David podría ser un aspirante al trono (1 S 20). Tienen una amistad que va más allá de los intereses económicos o sociales, y de que tienen a Dios como testigo: "Dijo Jonatán a David: Vete en paz, ya que nos hemos jurado en nombre de Yahveh: Que Yahveh esté entre tú y yo, entre mi descendencia y la tuya para siempre". (1 S 20, 42). Pero lo que más me impresiona es que cuando Jonatán muere asesinado, David hace una elegía y en ella canta lo sublime del amor de los amigos, que puede ser incluso más valioso que el amor erótico de las mujeres: "Estoy afligido por ti, Jonatán, hermano mío; tú me has sido muy estimado. Tu amor fue para mí más maravilloso que el amor de las mujeres" (2 S 1, 26)[13].

---

12   Este tema lo he trabajado de manera más amplia en el segundo capítulo de mi libro *La luz al final del túnel puedes ser tú*. Bogotá: Editorial Planeta, 2015, pp. 57-87.

13   La Biblia septuaginta traduce aquí "amor" como "*ágape*".

Esa es la amistad que tiene que estar presente en la relación de pareja. Es la que ayuda a garantizar vínculos firmes y sólidos. Nada mejor que sentirse comprendido sin reproches en las aristas más complejas de la persona y a la vez animado a seguir en la búsqueda de esos intereses que parecen fuera de sitio, pero que forman parte de lo que se es.

PREGUNTAS PARA REFLEXIONAR

- ¿Qué aficiones compartes con tu pareja?

- ¿Te sientes amado, valorado y reconocido por ella?

- ¿Puedes decir que tu pareja es tu cómplice, que apoya esas cosas que no te atreves a decir en público y que son estructurales en tu existencia?

- ¿Pasas tiempo junto a tu pareja sin necesidad de pensar en el sexo y en los problemas familiares, sino por el simple placer de estar con ella?

El amor como entrega desinteresada (*ágape*)

El amor de pareja no solo es deseo pasional, ni complicidad, sino que también debe tener mucho *ágape,* esto es, un sentimiento de compasión, de entrega desinteresada que se tiene por alguien. Este amor incondicional, gratuito y reflexivo busca el bien de la persona amada. Entiende al otro como un hermano al que se le quiere ver feliz, dichoso y realizado.

En la relación de pareja se trata de luchar porque el otro esté bien. Se trata del compromiso de no hacerlo sufrir, de evitarle el sufrimiento y tener una actitud compasiva con él, de hacerle sentir que nada importa más que su bienestar, de servirle con total generosidad, disposición y abundancia.

Es pensar en esa persona y disponerse a verla sonreír y disfrutar cada uno de los momentos que vive.

Este amor queda bien retratado en el himno de la Primera Carta a los Corintios (1 Co 13, 1-12), en el que tomando como modelo el amor de Jesús, el Señor, por los hombres, se describe como debe ser este amor, siempre proexistente y decidido al servicio y a la entrega por el otro: "El amor es sufrido, es benigno; el amor no tiene envidia, el amor no es jactancioso, no se envanece; no hace nada indebido, no busca lo suyo, no se irrita, no guarda rencor; no se goza de la injusticia mas se goza de la verdad. Todo lo sufre, todo lo cree, todo lo espera, todo lo soporta. El amor nunca deja de ser, pero las profecías se acabarán, y cesarán las lenguas, y la ciencia acabará. Porque en parte conocemos, y en parte profetizamos, mas cuando venga lo perfecto, entonces lo que es en parte se acabará" (1 Co 13, 1-10).

Cuando esto se piensa en doble vía, esto es, cuando los dos miembros de la pareja se aman con ágape, se genera un ambiente de perfección que nos acerca a la experiencia cristiana de Dios Padre. Se concreta en la relación de pareja todo lo que en el Nuevo Testamento se nos ha revelado del amor de Dios para nosotros. En términos teológicos: "Si agrupamos las afirmaciones más importantes del Nuevo Testamento sobre el ágape, obtenemos esta imagen de conjunto: ágape es, en primer lugar, el comportamiento de Dios, que se da libremente al hombre. Este amor se ha revelado al enviarnos Dios a su Hijo y al Espíritu. De este modo se ha hecho visible en Jesucristo y se nos ha participado por el Espíritu Santo. "El amor de Dios ha sido derramado en nuestros corazones por medio del Espíritu Santo que se nos dio", dice la sentencia central sobre el amor. El hombre no es, pues, solo un receptor, un objeto del amor de Dios; es, además, capaz de amar. Que pueda serlo no es, evidentemente, algo derivado de su naturaleza, sino que es don de la gracia"[14].

Sé que en una sociedad marcada por el consumismo, el facilismo, el materialismo, es muy complejo entender esta dimensión del amor, pero creo que vivirlo es la única posibilidad que tiene el ser humano de poder realmente vivir a plenitud, porque el ágape de alguna manera representa la capacidad de trascender del ser humano, esa capacidad de ir más allá de sus intereses, de sus sensaciones, de sus límites, y comprender que en el servicio al otro, en la vida entregada, hay mucha felicidad.

PREGUNTAS PARA REFLEXIONAR

- ¿Le sirves a tu pareja de manera desinteresada?
- ¿Sufres con el sufrimiento de tu pareja?
- ¿Le ayudas en sus luchas interiores para salir adelante?
- ¿Tienes compasión de tu pareja?
- ¿Eres desinteresado con ella?
- ¿La valoras más allá de lo que te da o de lo que puede darte?
- Si estuviera enferma, ¿podrías cuidarla?
- ¿Crees que valdría la pena seguir al lado de tu pareja aunque un día no pudiera valerse por sí misma?

---

14   Cadavid S. C. *El concepto de amor en la Primera Carta a los Corintios*, capítulo trece. Pereira: Universidad Católica de Pereira, Facultad de Ciencias Humanas, Sociales y de la Educación, Programa de Licenciatura en Educación Religiosa, 30 de mayo de 2011.

Tenemos claro que el enamoramiento y el amor son dos realidades muy distintas. Una es pasajera y llena de ilusiones. La otra es un acto de voluntad que quiere ser permanente y realizador de los sueños en los marcos de la realidad. Está claro que el matrimonio como realidad exige permanencia y no puede ser el fruto de un estado de enamoramiento sino de la toma de conciencia de quién es el otro y de por qué se quiere ser feliz con él.

Ahora, el amor de pareja, esa decisión que se toma de compartir la vida con alguien, exige estas tres dimensiones del amor: deseo, complicidad y entrega, para que pueda realizar a las personas y hacerlas felices. No valen la pena relaciones incompletas y reducidas solo por el placer y el interés. Se necesita mucho más. El proyecto humano pide mucho más. Hay unas condiciones claras para saber cuándo hay amor y cuándo no lo hay.

Te invito a reflexionar. A revisar de nuevo lo leído y ver qué cosas te hablan directamente a ti y a tu experiencia de vida. Es bueno anotar los sentimientos que te van ocasionando mis reflexiones. Quiero que de alguna manera estas líneas te vayan ayudando a tener más claro todo lo que estás viviendo. No es mi intención rotular como negativo el enamoramiento. He dejado claro que es una experiencia de transición en la que no se pueden hacer opciones radicales o tomar decisiones trascendentales como el matrimonio, que es un momento bello por el que deben pasar las relaciones de pareja, pero sin que se pretenda eternizarlo.

Vamos a ingresar a la realidad del matrimonio y con la misma sencillez vamos a tratar de entender bien cuáles son las condiciones que se requieren para que este sea el espacio realizador que se quiere.

TEST

Enamoramiento *versus* amor

Instrucción: Sombrea el comportamiento que más se parece al tuyo cuando estás en una relación o acabas de salir de ella.

	Enamoramiento	Amor
"Eres perfecto(a)".	Me cuesta mucho encontrarle defectos a la otra persona.	Reconozco con facilidad los defectos de la otra persona, pero considero que estos no son un obstáculo para compartir mi vida con ella.
"Yo sé que serías incapaz de...".	Considero que él/ella es incapaz de equivocarse en muchas cosas.	Tengo claras las cosas en las que mi pareja se equivoca y reconozco su vulnerabilidad.
"Me saqué la lotería contigo".	Siento que soy la persona más afortunada del mundo por haberle encontrado.	Siento que los dos somos muy afortunados por coincidir y encontrarnos.
"Lo que sea por ti".	Hago por esta persona cosas que no haría por nadie más, llego incluso a cruzar mis límites por satisfacerla.	Mis sentimientos por la otra persona no me hacen pasar sobre mis propios límites.
"Todo es distinto contigo".	Los proyectos y los ideales de la otra persona se convierten en los míos, y los que eran míos los dejo a un lado.	Trabajo por mis ideales y proyectos, y juntos nos aportamos todo lo que podemos en lo que quiere lograr cada uno.
"Voy a salvarte".	Sé que llegué a la vida de mi pareja para ayudarle y para lograr un cambio en él/ella.	Entiendo que él/ella mejor solo así si lo decide y si construimos una relación que nos hace crecer a los dos.
"Sin ti me muero".	Pienso con frecuencia que si mi pareja me deja no voy a poder seguir adelante.	Trabajo por una relación estable pero estoy preparado(a) para las crisis y hasta la ruptura.
"Pasemos la página".	Estoy dispuesto(a) a perdonar cualquier cosa que mi pareja haga con tal de que permanezca a mi lado.	Estoy dispuesto(a) a perdonar a mi pareja, y también a revisar si debemos estar juntos o no.

	Enamoramiento	Amor
"Todavía me quiere".	Pese a que hemos terminado varias veces, busco la forma de mantener algún vínculo con él/ella y tenerle cerca.	Entiendo que la relación terminó y busco la mejor forma de darle cierre.
"Nadie es como tú".	Mi expareja se convirtió en un modelo con el que comparo a todas las personas que se acercan a mí.	Entiendo que mi expareja tuvo cosas buenas pero, ya que se acabó lo nuestro, estoy abierto a cosas diferentes.

Resultados:

- *Si la mayoría de tus respuestas se encuentran en la columna de la izquierda*, estás viviendo tus relaciones desde el impulso biológico del enamoramiento. Es necesario que revises tus comportamientos y permitas que la transición hacia el amor verdadero se haga posible.
- *Si la mayoría de tus respuestas se encuentran en la columna de la derecha*, ¡felicitaciones!, estás en un buen camino para construir una relación de pareja sólida y duradera.

Capítulo 2

La persona sana

En el ejercicio de mi ministerio presbiteral me he encontrado que muchos de los problemas de pareja son realmente problemas individuales, de los sujetos que la forman, proyectados sobre la relación de pareja. Esto es, que no se trata de una situación compartida sino de una dificultad que nace en la estructura psicológica misma de uno de los miembros de la pareja. Por eso creo que si no están medianamente sanos psicológicamente, los miembros de la pareja no podrán tener una vida compartida que pase por la armonía, la alegría y la realización. Los traumas que cada uno trae, si no han sido asumidos, resueltos y aprovechados para crecer como seres humanos, no van a permitir que haya una vida de pareja tranquila, serena y que llene de felicidad a sus miembros. La celebración del matrimonio no es mágica, no va a sanar mediante un chasquido de dedos o una bendición los nudos psicológicos no resueltos en las personas que forman la pareja.

Al casarse se debe ser consciente de ello. El estado de enamoramiento no permite esta claridad fundamental para el éxito de la relación de pareja. Por eso quisiera invitarte a reflexionar en torno a la salud mental que se debe tener para conformar una pareja. La intención es que quienes estén iniciando su relación sean conscientes de las características de la persona con la que están soñando realizar sus ideales y que aquellos que ya están casados y podrían tener dificultades en sus relaciones sean conscientes del origen de la situación: ¿Es realmente un problema de la pareja como tal o de alguno de sus miembros? Para casarse y ser feliz se necesita sanidad mental.

Está claro que nadie es sano totalmente, que siempre se tienen traumas. Por eso, cuando aquí se habla de personas sanas no se está hablando de personas perfectas, sino de seres humanos que han podido establecer relaciones inter-personales sanas y que no tienen patologías clínicamente demostradas. Se podría hablar de personas medianamente sanas, esto es, de gente que conoce sus límites y sus posibili-dades, que aprovecha las oportunidades que tiene y es capaz de enfrentar con armonía y serenidad las dificultades que se le presentan.

Al preguntarme quién es una persona sana o cómo se comporta una persona sana, me fijo en la matriz de las re-laciones que nos propone la teología cristiana: la relación con uno mismo, la relación con los demás y la relación con el absoluto (Dios). Se es medianamente sano si se es capaz de sostener unas relaciones adecuadas, equilibradas y ar-mónicas en estos tres ejes: ser dueño de su proyecto de vida y responsable en la realización del mismo, ser respetuoso y solidario con los hermanos que están a su lado y sostener una relación de apertura y conciencia frente a Dios.

La teología cristiana muestra al hombre como hijo de Dios, hermano de los hombres y dueño de sí mismo —Tem-plo del Amor del Espíritu Santo—, única manera de poder desarrollarse y alcanzar la plenitud de la vida. La libertad, la solidaridad, el servicio, la paz y el autodominio son los valores fundamentales en esa construcción.

Revisemos las características de las relaciones estableci-das por las personas sanas en estos tres ejes, destacando el ideal y el deber ser. Trato de aclarar, desde la espiritualidad, cómo se comportan estas personas.

LA RELACIÓN CON UNO MISMO

Es imposible tener una buena relación con el otro si no se tiene una buena relación con uno mismo. Esa es la base del proyecto personal de vida. No se puede aceptar y amar a la otra persona si no se ha aprendido a aceptarse y amarse a sí mismo tal cual se es. Quien no se soporta no podrá soportar a nadie más; quien no sabe valorarse no podrá valorar a ninguna de las personas con las que comparte la historia.

Una de la situaciones más complicadas en las relaciones de pareja es que muchas de ellas están formadas por seres humanos que no se conocen, no se aceptan y no se aman a sí mismos, que establecen una relación artificial con la otra persona que deja muchos vacíos generadores de dificultades, a veces muy difíciles o imposibles de resolver. Esto los puede llevar a rechazar en la otra persona lo que rechazan en ellos mismos y a no ser capaces de aceptar eso como algo que los incomoda y les duele. Muchas de las peleas de pareja son auténticas proyecciones de lo que las propias personas sienten en contra de sí mismas, pero lo ponen en cabeza de la otra persona para poderlo rechazar con total libertad.

Cada uno debe hacer una continua exploración de su ser para ir conociéndose en detalle y entender sus virtudes y defectos, sus límites y posibilidades, sus carencias y posesiones, a sabiendas de que todo eso forma parte de uno y de que son cosas que no se pueden despreciar ni desconocer. Todo esto para decidir ser uno mismo y tratar de alcanzar la mejor versión de sí, sin miedos y sin caretas.

Esa experiencia de conocerse, aceptarse y amarse se manifiesta en las siguientes características:

Una persona sana es capaz de asumir serenamente las emociones. No se deja estresar por temores, sentimientos de culpa, preocupaciones y miedos. Nada se logra negando las emociones que se experimentan, pero dejarse manipular por ellas puede volverse un problema y hacernos vivir una dinámica totalmente desadaptada de la realidad. En este orden de ideas, una persona sana debe tener la capacidad de reconocer las propias emociones, controlarlas y usarlas en función del desarrollo del proyecto de vida. Esto permite que sus relaciones sean tranquilas y constructivas, algo fundamental en una relación de pareja, en la que la rutina del diario compartir hace que algunas emociones no sean las más agradables. Una persona sana sabe vivir con ellas y es capaz de usarlas para seguir creciendo.

Alguien con esas características entiende que la vida está marcada por situaciones adversas, frustraciones, fracasos y derrotas, y comprende que estas no le pueden hacer perder el control de la vida ni pueden hundirla en el fango de la decepción. Al contrario, asume esas coyunturas como oportunidades de aprendizaje y de crecimiento para desarrollar sus aptitudes. Por eso, aunque duelan y hagan sufrir, maneja las adversidades con serenidad y se hace dueño de sí mismo para echar para adelante.

Una persona sana se reconoce a sí misma como un ser único e irrepetible. Sabe que tiene una conformación psicológica que la hace ser diferente a las demás personas, y por eso es capaz de tolerar y aceptar a los demás como seres diferentes. No pretende homologar a los otros a sus maneras de ver, entender, sentir y juzgar el mundo. No se siente atacada ni señalada por quienes son diferentes, sino que los acepta como parte de la riqueza de la condición humana. Esto la obliga a ser respetuosa con todos aquellos que no tienen sus mismas características.

Una persona sana es capaz de entender que es un ser limitado y contingente. Entiende que no todo lo que hace es perfecto y por ello es capaz de reconocer sus errores sin sentir que eso la hace ser menos valiosa de lo que realmente es. Reconocer los errores es asumir que se está en proceso de ser cada día mejor. La única manera de lograrlo es tener claridad sobre cuáles son las equivocaciones que se están cometiendo para trabajar en ellas. Quien considera que no tiene errores no es sano psicológicamente y necesita conocerse más, porque seguramente generará relaciones interpersonales muy conflictivas y poco agradables.

Una persona sana es capaz de reírse de sí misma. Esta es una manifestación de buena salud mental. El que lo hace entiende que el buen sentido del humor es una manera de descomprimir el ambiente en el que se vive y que reír es una manera de quitarles peso y angustia a las situaciones que se enfrentan. Cuando se tienen asumidos los defectos físicos y la tendencia a cometer ciertos errores, no se tiene miedo de caricaturizarlos y reírse de ellos. Todo ello, en medio del respeto y de no poner la dignidad personal en riesgo, porque una persona sana debe saber respetarse a sí misma y dejar en claro que nada ni nadie la puede pisotear, debe saber reconocer su valor y compartirlo con los demás.

Una persona sana no alardea de sus cualidades ni las exagera. Esas actitudes son prepotentes, altaneras y sobradas, y demuestran inmadurez personal. Además, obstaculiza la sana relación con la pareja. Una persona sana reconoce que no lo sabe todo y por eso puede aprender cada día más de las experiencias vividas y de las personas que están a su lado. Tampoco subestima ni desconoce lo que sabe hacer. Tiene claro que es necesario ser humilde, pero que la humildad no consiste en despreciarse sino en reconocer que nunca se está en un escalón más bajo o más alto que la otra persona. Alguien así reconoce la dignidad del otro y la propia.

Una persona sana no se hace expectativas irreales frente a sus propios proyectos. Es realista y reconoce las características de los momentos y de los lugares en los que está. No exagera con pretensiones irracionales ni desea lo que realmente no se puede obtener en medio de la realidad en la que se encuentra. Tampoco es temerosa para pedir y espera lo mejor de la realidad que está trabajando. No se contenta con poco, está dispuesta a dar el máximo de lo que puede dar en sus proyectos, sin exagerar ni minimizar sus posibilidades. Este realismo le hace asumir las situaciones diarias sin miedos ni preocupaciones exageradas. Tiene conciencia de lo que puede lograr y por eso enfrenta cada proyecto con la concentración y la atención necesarias.

Una persona sana sabe disfrutar la cotidianidad. No necesita grandes acontecimientos ni acciones espectaculares para poder reír y sentirse contenta, ya que es capaz de gozar la vida en su sencillez. Sabe disfrutar cada momento con la intensidad necesaria. No tiene que subirse a montañas rusas para tener emociones fuertes y sentirse viva, sino que disfruta lo que los demás pueden ofrecer desde su singularidad. Sabe reír, abrazar, besar, bailar, cantar, gritar emocionadas, comer con tranquilidad sentada a la mesa con la gente que ama, dormir y descansar sin sentir culpa por no producir.

Una persona sana tiene conciencia de su vocación y sabe lo que quiere en la vida. Sabe para qué está hecha y qué la define como ser humano. No pierde el tiempo usurpando sueños e ilusiones de otros, sino que busca cómo realizar los propios, a sabiendas de que en esa realización está la felicidad. La vocación trasciende objetivos logrados y se expresa en la manera de vivir, en la forma de ir haciendo la historia personal. Hace que la vida se viva con entusiasmo, con pasión, con ganas y fuerzas. Aquel que hace lo que quiere y lo que lo define no lo hace por obligación sino disfrutando cada acción. Compartir la vida con otra persona forma parte de la vocación. Esto garantiza que las experiencias que se tienen con ella no sean fruto de la obligación, de la imposición, sino de una decisión libre. Cuando es así, la unión se lleva a cabo con pasión y entusiasmo.

Una persona sana entiende que es un ser dinámico y es consciente de su libertad y de su responsabilidad. Sabe que es un acto inacabado, en continua transformación y movimiento. Comprende que nunca estamos estáticos, que siempre estamos en proceso de crecimiento y generando nuevas adaptaciones, transformaciones y condiciones. Por eso no es de extrañar que algunos definan al ser humano como "siendo", como algo lanzado, impulsado, proyectado en medio de dos realidades gemelas que lo definen: que es libre y que es responsable. Libre porque puede decidir qué hacer con su vida, pero a la vez responsable porque debe asumir las consecuencias de las decisiones que tome.

Así, la persona sana sabe que su vida se mueve desde las elecciones que hace y asume que está transformándose en cada momento, haciéndose responsable de las consecuencias —en algunos casos insoslayables— ocasionadas por su actuar. Alguien que no tiene una buena relación consigo mismo no acepta que está en continuos cambio y que sus deseos, sus ilusiones y sus miedos se transforman todo el tiempo.

Siempre se pueden mejorar y cambiar las actitudes y los comportamientos; lo importante es que se tenga conciencia de la situación. Para ello es necesario que cada miembro de la pareja se entienda a sí mismo como un acto inacabado, como alguien que está siendo, que se está construyendo. Por eso constantemente se usa la imagen de "proyecto" para hablar del ser humano.

Por un momento imagina a una persona que no se caracteriza por estas cualidades en una relación de pareja; alguien que no sabe controlar sus emociones, que explota y estalla por cualquier situación, y es capaz de creer que lo más mínimo puede ocasionar una situación de vida o muerte. De seguro será alguien que genera constantemente discusiones, peleas y tensiones que hacen que la relación de pareja sea un infierno.

Calcula cuántas dificultades le puede generar a su pareja alguien que no sabe tolerar la diferencia y cree que todo el mundo tiene que ser como él. Seguro que no puedes relacionarte libremente con alguien que no te acepta como eres sino que quiere que asumas sus maneras de pensar, sentir, juzgar y hablar.

Imagina la relación de pareja que puede tener una persona que no reconoce sus defectos ni sus errores, y que está siempre en actitud de discutir, de demostrar que actuó de manera correcta y que es la otra persona la errada. Piensa en qué tipo de matrimonio puede tener una persona que no sabe disfrutar las situaciones sencillas de la vida y que solo está esperando momentos espectaculares, excepcionales, para poder ser feliz. Seguramente su relación de pareja tendrá muchas tensiones y ni él ni su pareja podrán disfrutar de su matrimonio fácilmente, lo que muy probablemente genere problemas que harán todo más difícil.

Piensa en una pareja en la que alguna de las dos personas no acepta que su vida va cambiando y que no todo es igual que antes; alguien que se niega, por ejemplo, a envejecer, y que de manera inmadura asume poses de edades que ya pasaron y que no volverán. O imagina que alguna de las dos personas desprecie su libertad y la confunda con libertinaje, con indeterminismo, y quiera hacer de todo sin asumir las consecuencias de sus actos, sin entender que ya está mayor y que hay situaciones a las que debe ponerles el pecho para responder. Esto probablemente redunde en una situación de pareja muy complicada.

Muchas de las relaciones de pareja pasan por ese miedo de sus miembros de transformar su responsabilidad en un compromiso continuo, de sostener con otras decisiones la decisión inicial que han tomado. No se es responsable con la decisión de compartir la vida con la persona amada o simplemente no se tiene claridad de que todo va cambiando y que esos cambios se tienen que asumir sin ningún temor, y entender que esa es la dinámica de la vida.

Insisto en que muchas de las dificultades de la pareja pasan por la mala salud mental de sus miembros. Hay que tener claro que alguien que no tiene una buena relación consigo mismo no la puede tener con los demás, y mucho menos con su pareja. Antes de casarse es necesario revisar bien cómo se relaciona el otro consigo mismo y pensar si se esfuerza por ser cada día mejor. El matrimonio no cambia este tipo de situaciones por arte de magia, y estas pueden incluso empeorar con la convivencia diaria. Si ya hay unión marital, es necesario abrir los espacios para que cada una de las partes pueda tener conciencia de la situación en la que está y decididamente trate de mejorar, para poder tener una vida de pareja marcada por la felicidad y la alegría.

No todas las personas tienen por qué construir una vida matrimonial, ni es cierto que los que han elegido vivir solos y construir su proyecto de vida desde la singularidad de su ser sean fracasados o los haya dejado el "tren de la felicidad". Cada quien actúa según su vocación y entiende que esas decisiones son absolutamente personales y nadie las puede tomar por él.

Quien tiene una sana relación consigo mismo tiene claro cuál es su vocación y lucha con todas las fuerzas de su ser para realizarla y así ser feliz. Es una decisión que nace de lo más profundo de su ser y que tiene que vencer todos los obstáculos que se presenten en la vida misma. Solo una persona así podrá hacer de su vida matrimonial una vida de realización y plenitud.

LA RELACIÓN CON LOS DEMÁS

El ser humano es un ser social. La existencia humana consiste en estar con otros y juntarse con ellos. La salud mental tiene que expresarse en esa relación constante y continua con las personas con las que se está en contacto. No se puede ser sano mentalmente si se tienen unas malas relaciones interpersonales.

Una persona sana saber amar y dejarse amar. Sabe que las otras personas son importantes en su vida y busca la manera de relacionarse con ellas desde esa conciencia. Saber amar implica entender que el amor no es poseer al otro, no es manipular sus decisiones, no es anular su diferencia, no es negarlo desde nuestras acciones sino que se trata de afirmarlo, de dejarlo ser, de ayudarlo a ser a partir de la decisión de compartir con él a través de manifestaciones afectivas. Saber amar se da cuando se entiende que la preferencia por el otro no implica que él sea como se quiere que sea o que esté obligado a hacer lo que se le diga, ni cuando se quiera que lo haga. Saber amar implica que el otro es libre y se realiza desde sus acciones, pero que se quiere estar a su lado y compartir con él sus luchas y sus esfuerzos. Pero no solo se trata de amar sino de dejarse amar: entender que uno merece amor, que es valioso, que tiene muchas cualidades y que es posible que, en total libertad y autenticidad, alguien quiera estar con uno y busque la manera de ayudar a que uno se realice. Debes dejarte tratar con ternura, gozar las manifestaciones de afecto que el otro te da, disfrutar sus regalos, sus caricias y entender que todo eso forma parte de su manera de hacerte comprender lo que significas en su vida.

Esta relación afectiva implica que entiendes la diferencia del otro y que así lo aceptas y amas. Sabes que no es el centro de tu vida y que tu realización no depende de él, ni de los demás. Entiendes que nadie más sino tú eres responsable de tus emociones y que los demás están ahí para acompañarte, para ayudarte en la construcción de tu proyecto al tiempo que realizan el suyo y para gozar con tu felicidad. El amor no despersonaliza sino que, al contrario, afirma y refuerza lo que eres; saca lo mejor de ambas partes de la relación.

Una persona sana sabe resolver los conflictos con inteligencia y sabiduría. Entiende que todas las relaciones interpersonales generan dificultades, malos entendidos, choques y discusiones. La resolución de conflictos muestra de manera clara la madurez que se tiene. Desde el control emocional se descubren las posibilidades de solución de los conflictos y se busca la manera de aprender de esa situación. Se es sano cuando se le dan a las palabras, a las actitudes, a las acciones, el valor que tienen, sin exagerarlas ni minimizarlas. No se debe tener miedo a decir que no a lo que no gusta o a lo que se cree que pone en riesgo la dignidad, ni creer que la violencia es una manera sana de resolver algún malentendido.

Las relaciones interpersonales en las que se saben resolver los conflictos que se generan en la vida diaria son relaciones estables, duraderas y satisfactorias. No se es sano si se es similar a una gran montaña rusa a la hora de relacionarse con los demás y si no se tienen amigos duraderos. Una sana relación interpersonal crea sentimientos de reconocimiento, valoración y amor. Por eso se puede realizar el proyecto propio con la paciencia y la seguridad requeridas. Para que sean relaciones sanas, duraderas y satisfactorias, es necesario que no se le pida al otro lo que no puede dar y no imponerle lo que no lo define y le hace daño. Debes dejarlo ser y ayudarle a ser, eso sí siempre tratando de que dé lo mejor de sí mismo, que alcance la excelencia existencial.

Una persona sana sabe confiar en los otros. No tiene miedo de los demás. Sabe que en la vida no se tiene la absoluta seguridad de que los otros no vayan a fallar y que las cosas no se pueden tener totalmente bajo control. Entiende que siempre hay un espacio para lo impredecible, lo inesperado, y ante eso solo se puede confiar. Por ello, se debe saber confiar en los otros sin vigilancias, sin dudas crónicas, sin miedos patológicos ni monitoreos exhaustivos e invasivos. Se debe tener clara conciencia de que una relación segura no es aquella en la que no se permite que el otro se salga de las manos, porque no se le tiene en las manos, sino que estas se le prestan para que realice sus proyectos. Además, se debe ser confiable para las demás personas, es decir, mostrarse como alguien coherente y estable que permite que se confíe en él.

*Una persona sana está abierta a aprender y a desapren-
der a partir de la relación con los demás.* No se siente un
dios ni cree que lo sabe todo y lo puede todo, sino que se
presenta como una persona segura pero a la vez vulnerable
que entiende que a diario se dan muchas oportunidades de
crecer y de alcanzar los objetivos propuestos. Esto implica
ser abierto a la verdad del otro y entender que tolerar no es
abdicar de la propia verdad. Es entender que el consenso
se presenta como una gran posibilidad y que no es la suma
milimétrica de algunas partes de las verdades de cada uno,
sino la conclusión a la que se llega luego de compartir con
sencillez, firmeza y claridad los argumentos y los sentimientos que se tienen.

*Una persona sana no se centra en las culpas ni en los
errores cometidos.* Por el contrario, acepta tranquilamente
la responsabilidad que le corresponde en cada una de las
situaciones. No busca echarse sobre su espalda las culpas
que no le corresponden ni quiere señalarles a los otros sus
culpas de manera inquisitiva. Entiende que en las situaciones difíciles la solución no está en saber quién es el culpable
o el responsable, sino en encontrar los caminos que lleven
de nuevo a la concordia y a resarcir los errores cometidos.

Una persona sana es optimista. Enfrenta el futuro con
esperanza y confía en que las cosas mejorarán. La persona
sana es capaz de planear su actuación con inteligencia, dedicación, precisión y creatividad. No tiene temor a la incerti-
dumbre que el futuro siempre trae, sino que lo enfrenta con
la confianza y la precaución adecuadas, y con la sabiduría
necesaria. Es positiva y contagia a quienes están a su alrededor, sabe motivarse frente a las situaciones complicadas
de la vida y genera un ambiente agradable y emocionante
en su entorno.

Una persona sana tiene buena capacidad de adaptación. Sabe comprender las situaciones y generar las actitudes que la hagan estar bien en ellas. No se puede ser una persona con la mente y el actuar rígidos: se debe tener la respuesta adecuada para cada una de las realidades que se viven. La realidad no es como se sueña. Es como es, y hay que ser capaz de adaptarse a ella. Ahora bien, también hay momentos en los que esa realidad se puede modificar y hay que hacerlo. Lo importante es saber cuándo se puede modificar y cuándo hay que adaptarse a la realidad. Allí está la expresión de la salud mental.

Quien se siente seguro y dueño de sí mismo abre su mente al mundo y a las novedades que este trae. No se ancla en verdades rígidas y absolutas que le impidan seguir creciendo. Gracias a sus dotes y aptitudes, que pone al servicio de su proyecto de vida, es capaz de vivir nuevas experiencias y de meditar sobre nuevas ideas. Para ello se fija metas realistas, acordes con sus aptitudes y capacidades, e inmersas en las realidades que vive. Es mesurado a la hora de establecer nuevas metas que jalonen su propia existencia.

Una persona sana no tiene miedo de tomar sus propias decisiones. Sabe orientar su vida por el camino que considera adecuado. Se comporta de manera autónoma y no tiene miedo de distanciarse de lo que la daña y le pone demasiados problemas. Es capaz de tener un plan de vida para salir adelante.

Como es evidente, la vida de una persona así es estimulante, gratificante y llena de realizaciones; da gusto vivirla. Su felicidad no depende de las grandes situaciones, de lo que viva o de las cosas que pueda adquirir, sino de la pasión con la que vive cada pequeña experiencia que tiene. Goza las pequeñas victorias y entiende que en ellas se va fraguando el sentido de su vida.

Por un momento piensa en una persona que no tiene, ni mínimamente, estas características en una relación de pareja. En alguien que quiere ser amado pero no sabe amar al otro, que cree que la otra persona tiene que estar totalmente a su disposición y no tiene por qué devolverle con generosidad y abundancia todo ese amor que recibe. Con seguridad, esta es una relación de pareja marcada por la desigualdad y por la imposición, en la que la persona sometida no podrá ser feliz. Conozco personas que exigen a la persona amada que se adapte a su mundo, que olvide su familia, que deje su manera de pensar, que se vista como ella lo exige y tenga los amigos que ella decide —sabiendo que estas exigencias no están bien—, pero que no son capaces de hacer ni la mínima acción para adaptarse al mundo de la persona que dicen amar.

Imagina a una persona que no sabe confiar y cree que tiene que controlar hasta el más mínimo movimiento de la pareja. O imagina a alguien que no sabe resolver los conflictos que se dan diariamente y hace de cada dificultad, por muy pequeña que sea, una batalla mortal, en la que están presentes todas las manifestaciones de la violencia: psíquica, emocional, física... Seguro esto hará que las relaciones de pareja sea un auténtico infierno, en el que todos sufren y nadie disfruta.

Vuelvo a dejar claro que si no hay una salud mental que se exprese en relaciones interpersonales sanas, la relación de pareja no va a funcionar y sus miembros terminarán sufriendo sin necesidad o teniendo relaciones provisionales y efímeras. Se hace necesario que las personas se cuestionen en torno a cómo establecen relaciones entre ellas. Vale la pena cuestionarse y darse cuenta en qué se tiene que trabajar para que la relación pueda fluir. Estoy seguro de que muchos de esos hábitos equivocados que se tienen, y que son fruto de la crianza o del modelo familiar que se tuvo, se pueden cambiar y pueden mejorar la actitud y el comportamiento en la relación de pareja. ¿Cuántas relaciones de pareja hay al borde de romperse por no saber asumir que no se está actuando sanamente y que tienen que trabajar en ello sus miembros?

Relacionarse bien consigo mismo y con los demás tiene que traducirse en una vida sana, en un comportamiento sano que se expresa en no anticiparse ante las situaciones sino en ser capaz de enfrentar los problemas cuando estos van sucediendo, y en no vivir con ansiedad ni angustia. Siempre recuerdo una frase de Mark Twain: "He sufrido muchas tragedias en mi vida, el 90 % de ellas nunca sucedieron". El que está medianamente sano vive las situaciones difíciles que tiene y no las que pudiera tener.

La vida en pareja de dos personas medianamente sanas es una experiencia realizadora. Seguro tiene dificultades y problemas, pero sus miembros son capaces de solucionarlos y de aprovecharlos para seguir creciendo. Una pareja así vivirá feliz en medio de tantas situaciones de diversa índole que la vida tiene. Ambas personas gozarán de la compañía del otro y podrán disfrutar todas las tareas que a diario tengan que realizar.

LA RELACIÓN CON DIOS

Desde mi opción de vida considero que no se puede tener una vida plenamente sana si no se tiene una buena experiencia espiritual. Para el ser humano es necesario trascender e ir más allá de lo inmediato, de lo material, de lo útil, de lo valioso, para poder alcanzar la salud integral que busca. Es necesario tener una experiencia espiritual que permita encontrarle el sentido total a la propia historia.

Soy presbítero católico y la experiencia espiritual que desde niño he tenido se centra en el proyecto de Jesús de Nazaret. Es en una relación íntima e intensa con Él como he podido encontrarle sentido a la vida diaria, a las opciones por las que tengo que decidirme a diario y al esfuerzo de construir un proyecto que me haga sentir feliz. Por eso en este momento quisiera plantear unas sencillas reflexiones que resumen lo que considero es una sana relación con Dios, con el Dios que nos ha revelado Jesucristo, el Señor (Col 1, 15).

La experiencia espiritual cristiana se funda en la certeza de que Dios es amor (1 Jn 4, 8) y quiere lo mejor para nosotros. Jesús nos lo ha revelado como el Padre, esto es, como aquel en el que está al origen de nuestra existencia, el que nos alimenta, el que nos cuida, el que nos acompaña en nuestro proceso de crecimiento, un Padre misericordioso que está dispuesto siempre a perdonarnos y a darnos nuevas oportunidades (Le 15, 11-32). Una persona que considera que su vida es consecuencia de la realización de una de las infinitas probabilidades que existían tiene muy comprometido encontrarle sentido a la vida en lo intrahistórico.

Él nos ha creado libres y quiere que vivamos en libertad. No tiene libretos escritos sobre nuestra vida y nos invita a diario, desde nuestra conciencia, a actuar y decidir hacia donde llevar la vida. Él no goza haciéndonos esclavos, por eso nos llama sus amigos (Jn 15, 15). Creer en Dios nos tiene que hacer conscientes de que la vida está en nuestras manos y que somos nosotros los que elegimos qué hacer con ella. No es responsabilidad de Dios lo que nosotros decidimos, es la nuestra. No podemos seguir haciendo responsable a Dios de la pareja que hemos decidido tener, como si fuera él quien la hubiera conquistado e invitado a convivir. La espiritualidad cristiana es una invitación a la libertad y a actuar desde nuestra conciencia. Alguien que considera que Dios lo ha obligado a actuar de una manera especial, y que no puede tomar una decisión contraria porque Dios no lo quiere, no ha entendido la espiritualidad cristiana y terminará sufriendo mucho y haciendo sufrir a todos aquellos que comparten con él la vida.

En este contexto, se debe tener claro que Dios es quien hace una propuesta de vida y que es uno quien decide si la sigue o no. Su oferta de una vida con sentido está en el Evangelio de Jesucristo, y es uno quien decide si la hace suya o no. Una persona que conoce a Jesús se siente invitada a vivir desde el amor, pero también puede decirle que no y seguir su vida como quiera.

Él nos invita a vivir a favor del otro. La espiritualidad cristiana nos lanza siempre hacia el otro. Se realiza en la relación con los demás. No se puede ser cristiano en una relación intimista con Dios que desconozca la necesidad de los hermanos. El servicio concreta el modo de vida de Jesús y es siempre fuente de felicidad (Jn 13, 17). El otro nos importa mucho a los cristianos y buscamos la manera de que esté bien, por eso vivimos en comunidad y estamos atentos a sus necesidades y carencias.

Contrario a lo que muchos creen, Dios no nos ha llamado a sufrir sino a ser felices. Nos quiere realizados, plenos, gozosos. Él nos ha enseñado, a través de su Hijo, a vivir la vida desde la sencillez, la autenticidad y la coherencia.

La historia no es un valle de lágrimas sino un camino que conduce a la plenitud y que podemos disfrutar sin ningún miedo. Una persona que tiene miedo a ser feliz es una persona que está enferma, y si es una espiritualidad la que le ha metido eso en el corazón, es una espiritualidad enferma y equivocada que nada tiene que ver con el cristianismo.

Dios actúa desde nuestro interior y está constantemente ayudándonos. No hay magia ni se resuelven los problemas porque cerramos los ojos y le pedimos a Él que los resuelva. Es necesario luchar, esforzarse, dar lo mejor de cada uno de nosotros y creer en la fuerza y el poder que Dios ha puesto en nuestro corazón. No podemos pretender que Dios haga por nosotros lo que a nosotros mismos nos toca hacer. Dios no va a cambiar al cónyuge si él no abre el corazón.

Una persona sana entiende que lo fundamental en la vida es amar, servir y perdonar. Comprende que la esencia de la vida no está en el dinero, en el poder, en la fama, sino en vivir a la manera de Jesús. Una pareja que está formada por personas que tienen una sana experiencia espiritual sabe comunicarse y ser solidaria, y vive su vida desde la fe cristiana. Esto implica que ambas partes son capaces de proexistir (vivir el uno para el otro) y de esa manera ayudarse a lograr la realización mutua.

Una persona sana sabe que Dios está a su lado en todo momento. La fe se hace presente en la vida como esperanza. El Dios cristiano es el realizador de la promesa. Es fiel y siempre realiza lo que promete. No hay miedo para el cristiano porque sabe que Dios lo acompaña siempre para no dejarlo fracasar. Vive con la seguridad de que siempre hay una actuación de Dios en su historia y esto le permite asumir todo desde una perspectiva muy diferente. La persona creyente tiene paz en su corazón y se enfrenta al futuro con la seguridad del poder de Dios. Por lo mismo no se deja amilanar por ninguna de las duras situaciones que tiene que vivir, sino que da lo mejor de sí para vencerlas y seguir construyendo su sueño.

Una persona sana disfruta el silencio, la soledad y entiende la gratuidad. Deja que lo sublime llene el corazón y la impulse a seguir adelante. Disfruta los pequeños detalles de la convivencia y genera una actitud siempre agradecida por el amor del otro.

El matrimonio católico no solo se inscribe en medio de la experiencia espiritual sino en la estructura religiosa. Se vive como un sacramento, tema que trataré más adelante. Lo importante es tener una sana experiencia espiritual que impulse a las personas a ser felices y no se manifieste como un ancla que no las deja vivir y gozar su existencia tal cual son y con todos los sueños e ilusiones que tienen.

TEST

Mi vida ante el espejo

Instrucción: Como si estuvieras ante un espejo, revisa los distintos perfiles de tu vida. Reflexiona en cada pregunta y sombrea la barra correspondiente con el porcentaje de bienestar que percibes en cada área. En el espacio del lado, escribe una palabra que indique qué cosa te hace falta hacer para mejorar en ese aspecto.

Ejemplo: Para alguien que, en relación con su perfil familiar y tras revisar las preguntas, considera que está en un 60 % y que lo que le hace falta es estar más cerca de su gente, la barra se vería así:

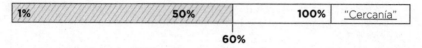

| 1% | 50% | 100% | "Cercanía" |

60%

Perfil intelectual
—¿Estoy aprendiendo algo intencionalmente en este momento?
—¿Leo con frecuencia?
—¿Siento que he desarrollado bien mi capacidad mental? ¿Mi aprendizaje?
—¿Uso mis talentos y los desarrollo?
—¿Aprendo cosas nuevas con frecuencia?
—¿Tengo un buen desempeño académico?
—¿Tengo metas académicas y estoy trabajando por ellas?

| 1% | 50% | 100% | _____ |

Perfil corporal
—¿Estoy siendo responsable con mi salud?
—¿Cuido regularmente mi parte física, voy al médico, al odontólogo?
—¿Descanso bien, como bien y ordenadamente, hago algún tipo de ejercicio?
—¿Me cuido de excesos de esfuerzo, desgaste, consumo, etc.?
—¿Me siento bien cuando me miro al espejo, me gusto?
—¿Le concedo una importancia excesiva a como me veo?
—¿Sufro por mi apariencia?

| 1% | 50% | 100% | _____ |

Perfil familiar
—¿Estoy siendo un buen hijo, hermano, hermana, padre, madre?
-¿Pueden contar conmigo para los temas familiares?
—¿Doy alegría y orgullo a los que viven conmigo y a mi familia?
—¿Estoy presente en los momentos difíciles y en los momentos importantes de las personas de mi familia?
—¿Se sienten agradecidos con lo que hago porque a ellos les aporta en beneficios emocionales y de apoyo?
-¿De qué color soy la oveja de la familia?

1%	50%	100%	_____

Perfil afectivo
—¿Estoy siendo una persona "AMABLE", es decir, alguien a quien es fácil amar?
—¿Soy la clase de persona de la que a mí me gustaría enamorarme?
—¿Estoy listo para la relación de pareja que quiero o que tengo?
—¿El tema de pareja me angustia, me intranquiliza, me impacienta o me acompleja?
—¿En el tema de pareja es determinante o no el miedo a estar solo?
—¿Confío plenamente en lo que soy y lo que puedo dar a una persona en una relación de pareja?

1%	50%	100%	_____

Perfil social
—¿Soy un buen amigo? ¿Quisiera tener un amigo como yo?
—¿Las personas cercanas a mí saben que pueden contar conmigo?
—¿Mis amigos y compañeros admiran cosas de mí o me soportan?
—¿Tengo relaciones de sinceridad, lealtad, intimidad y total desprendimiento de mis propios intereses?
—¿Soy servicial hacia las personas que viven cerca de mí o con las que comparto trabajo o estudio?
—¿Las personas que estudian o trabajan conmigo demuestran que soy un aporte valioso?
—¿Me interesa la sociedad, las dificultades, las decisiones que nos afectan a todos, las personas marginadas?

1%	50%	100%	_____

Perfil productivo
—¿Estoy dando el 100 % en lo que estoy trabajando/estudiando?
—¿Estoy seguro de haber hecho las elecciones correctas al elegir este trabajo/estudio?
—¿Hay cosas en las que me conformo con no ser excelente en mi trabajo/estudio?
—¿Las personas que estudian/trabajan conmigo piden que yo haga parte de sus equipos?
—¿Soy responsable, cumplido, atento y dispuesto en mi trabajo/estudio?

1%	50%	100%	_____

Perfil económico

—¿Sé lo que tengo, lo que puedo hacer con lo que tengo y lo que debo tener para mis proyectos?
—¿Busco maneras inteligentes de producir recursos y soy exitoso en eso?
—¿Uso el dinero primero para las prioridades y lo que queda para lo secundario?
—¿Tengo muchas deudas, sean grandes o pequeñas?
—¿Cuando no tengo dinero me estreso, me angustio o me pongo de mal genio?
—¿Escondo mis necesidades económicas por no quedar mal con los demás?

| 1% | 50% | 100% | _____ |

Perfil emocional

—¿Justifico mis decisiones equivocadas por "como me estaba sintiendo en ese momento"?
—¿Soy bueno para controlar la rabia, la ira, el mal genio?
—¿Dejo de hacer muchas cosas por miedo?
—¿Cuando estoy muy emocionado o alegre, pierdo límites y derrocho palabras, gestos, recursos?
—¿Soy ansioso? ¿Me impaciento por las cosas, me pongo intranquilo e intranquilizo a los demás?
—¿Tengo reacciones que me desconciertan o desconciertan a los demás?
—¿Vivo la mayor parte del tiempo alegre y con tranquilidad?

| 1% | 50% | 100% | _____ |

Perfil lúdico

—¿Conozco las cosas que me ayudan a descansar y a recobrar fuerzas?
—¿Sé divertirme con frecuencia, sin excesos pero sin remordimientos?
—¿Sé divertirme con cosas que no me quitan posibilidades hacia el futuro?
—¿Tengo varias formas de encontrar descanso y diversión?
—¿Le dedico tiempo y recursos a planear las cosas que haré para descansar y divertirme?
—¿Sé disfrutar de las cosas para no necesitar llevar al vicio una sola?

| 1% | 50% | 100% | _____ |

Perfil espiritual

—¿Tengo una vida interior rica, interesante, profunda?
—¿Me conozco y conozco bien lo que soy, por qué soy así y como quiero ser?
—¿He elegido mis principios de vida para que orienten todas las anteriores dimensiones?
—¿Estoy convencido de mis convicciones?
—¿Soy responsable con mi opción de fe, la conozco, la entiendo y sé por qué la elegí?
—¿Vivo en coherencia con mi opción de fe?
—¿Dedico tiempos e importancia suficiente en mi vida a mi espiritualidad?

| 1% | 50% | 100% | _____ |

¿Qué me refleja este espejo hoy?

1. _____

2. _____

3. _____

¿Qué perfil debo empezar a mejorar de inmediato?

_____

Dos cosas que tengo que hacer para mejorarlo (antes de 30 días) son:

1. _____

2. _____

¿Qué perfiles tienen que volverse más importantes en mi vida?

1. _____

2. _____

3. _____

Dos cosas que he podido descubrir sobre mí en este test son:

1. _____

2. _____

Tres cosas que tengo que hacer en mi vida a partir de este test:

1. _____

2. _____

3. _____

Capítulo 3
Por qué se casa la gente: mitos

Me he encontrado con personas que esperaron del matrimonio lo que este nunca les iba a conceder porque la expectativa era irracional e irreal, desde la inocente creencia de que con el matrimonio todas las dificultades —que hasta ese momento había tenido— desaparecerían hasta el hecho de querer encontrar en el otro lo que nunca mostró en el noviazgo y realmente no puede dar. Expresiones como: "Él no me hizo feliz" o "Ella no me dio lo que yo esperaba" muestran que esperaban lo que la relación no iba a dar.

La frustración y decepción de no encontrar eso que buscaban en la relación se expresa en tensión, conflicto, desagrado y peleas que la hacen insoportable. Se presenta el mismo síndrome del enamorado que despierta de su estado psicótico: no encuentran en la realidad del matrimonio todo lo que estaban buscando y terminan creyendo que se equivocaron de persona o que fue errada la decisión de casarse, cuando realmente las equivocadas eran las motivaciones que tenían.

Por eso considero que otra dimensión para reflexionar y purificar son las motivaciones por las cuales las personas deciden casarse. La sociedad ha construido una serie de mitos —explicaciones falsas mayoritariamente aceptadas— de las razones por las cuales las personas se casan. De tanto repetirse, estas motivaciones se han vuelto lo que la gente busca en su matrimonio y claramente lo que no encuentran en él. Estoy convencido —luego del diálogo con tantas parejas en la dirección espiritual— de que esos mitos terminan determinando de manera negativa la vida de pareja, porque sus miembros se casan con la seguridad de encontrar en ella lo que no les va a dar.

Cada persona debe tener claro para qué se casó y ser consciente de que muchas de las cosas que su matrimonio no le ha dado son responsabilidad suya porque estaba esperando lo que aquel no le podía dar. En el trabajo con algunas parejas encuentro que, al aclarar lo que realmente pueden esperar del matrimonio o de la otra persona, mejoran su relación y pueden hacerla gratificante y realizadora.

Creo que es necesario purificar esas motivaciones desde la propia realidad y la de la persona con quien estás decidiendo compartir la vida. Asimismo, desde la misma condición humana que es determinante en la manera de vivir y de actuar. Y por último, desde la teología misma del sacramento del matrimonio, si se es creyente y se celebra.

No es fácil desaprender estas creencias, ya que muchas nos pertenecen de generación en generación y otras son el fruto de relatos explicados y repetidos durante mucho tiempo. Liberarse de estas motivaciones exige que seamos realistas psicológica y socialmente, que podamos comprender a las personas desde lo que son y no desde lo que nosotros quisiéramos que fueran, ya que en algunos casos implica entender que la persona que tenemos construida en nuestra mente no es la que está al frente nuestro. De esa manera se acepta compartir la vida.

MITO 1: "YO ME CASÉ PARA SER FELIZ"

Son muchas las personas que creen que el matrimonio es el único camino hacia la felicidad. Por eso no extraña que se sientan frustradas porque no se han casado. Es más: todavía en algunos espacios sociales se ve con cierta sospecha a personas que han decidido vivir su proyecto de vida sin construir una relación de pareja.

La persona que se casa para ser feliz cree que el matrimonio es el espacio que le hará realidad las ilusiones y los sueños que tiene, o está convencida de que la persona con la que va a casarse la hará feliz con cada uno de sus pensamientos, actitudes y comportamientos. De alguna manera aquí la felicidad depende de otro y no uno mismo.

La realidad antropológica y social frente a este mito es clara y contundente:

La felicidad es un proyecto personal. Cada uno tiene la tarea de ser y de hacerse feliz. No puede exigírsele a otro que tenga en sus motivaciones hacerlo feliz a uno, pues la vida es responsabilidad personal y no se puede pretender que el otro cargue con la tarea que le compete a cada cual. Quien ama verdaderamente no quiere quitarse la posibilidad de decidir la vida del otro, de dirigirla, sino al contrario, le ayuda a que cada vez sea más dueño de sí mismo.

El ser humano es único e irrepetible, es dueño de sí mismo y tiene dimensiones que no puede transferir a nadie, por mucho que quiera hacerlo. Un dolor, por ejemplo, no se le puede trasladar a nadie, por mucha fuerza que se haga o por mucho que se ame a esa persona. La felicidad es una de esas realidades del ser humano que no puede transferirse a otra persona. No se le puede dar a otro la tarea de hacerlo feliz a uno, porque eso implicaría depender totalmente de otra persona en lugar de saberse un ser completo y capaz de realizarse por sí mismo.

Si no se es capaz de sentirse bien consigo mismo, nadie hará que se pueda estar bien. En principio, la felicidad es fruto de la relación armónica consigo mismo. Uno se conoce, se acepta, se ama y disfruta de ser quien es. Esa es la base de la felicidad. Si uno no se conoce, si no se acepta, si vive quejándose de ser quien es, no podrá ser feliz, así se case con la persona más perfecta que exista. El otro no puede darle lo que uno mismo se tiene que dar. Algunos quieren que los demás les hagan sentir lo que ellos mismos no han podido; pretenden que los demás soporten lo que ellos mismos no han querido ni han podido soportar. Quienes creen que su vida es una tragedia, una realidad insoportable, no pueden pretender que la pareja los haga felices y dichosos.

La dependencia externa es signo claro de inmadurez, de poca salud mental y de vacíos existenciales. Ser maduro y sano exige ser consciente de que se es dueño de sí mismo y que, por ello, uno es responsable de su existencia. Se vive en una interdependencia con los demás, es decir, uno necesita a los otros, pero lo hace a partir de una clara autonomía, de una autodeterminación de la vida por los caminos que decida libre y conscientemente.

Yo entiendo que la felicidad no se la puede dar a uno nadie más que uno mismo, en cuanto que es una realidad que implica la propia esencia, eso que hace que uno sea quien es y nadie más. Por ello el control de la vida no puede estar fuera, sino en poder de uno, pues lo contrario lo hace totalmente dependiente de quien tenga el control y eso le quita a uno toda responsabilidad frente a lo que vive.

Cuando la vida está llena de vacíos, cuando la autoestima es baja, cuando a uno lo convencieron en la infancia de que no era capaz de nada, entonces cree que es la otra persona la que tiene que llenarlo y darle lo que le hace falta, hacerlo sentir valioso, subirlo a las estrellas y mostrarle la plenitud que tiene. Si uno construye así la vida, será una persona totalmente inestable porque dependerá de la cercanía o lejanía que tenga con la otra persona. Vivirá al ritmo de su vida y no de sus convicciones y valores.

Casarse para ser feliz es poner la felicidad en el otro, es tratar de transferirle una responsabilidad a alguien que no tiene por qué asumirla, pero sobre todo es hipotecar los sueños y las ilusiones. Uno no se casa para ser feliz, es feliz y se casa para compartir la felicidad. Esta está en sus propias manos y no en las manos de alguien más. Si por algún motivo uno no pudiera casarse, también tendría que ser feliz.

Amar a otra persona no implica depender de ella. Uno ama a alguien pero sigue siendo autónomo. Quiere compartir la vida con esa persona pero no hay necesidad de despersonalizarse. El amor no implica negarse y dejar de ser quien se es, sino, al contrario, seguir siendo quien se es y aportarle al otro todo eso que tiene de diferente y que le ayuda a realizarse desde su propia realidad. El matrimonio no es la única posibilidad de felicidad y se puede ser feliz aún después de un fracaso matrimonial. El otro es importante y valioso, pero no lo es todo para uno. Uno puede construir su vida aunque esa persona no esté ya en ella.

Me encanta una afirmación de papa Jaime Jaramillo, que dice: "Te amo, pero puedo ser feliz sin ti". Esa es la verdad, la propia felicidad no depende de nadie más. Amar a otra persona no la hace dueña de la propia felicidad. Si la persona amada se marcha, no se va la felicidad, se puede luchar y esforzarse por ser plenamente feliz tras la consecución de muchas de las metas que se tienen.

Hay que tener cuidado con el lenguaje poético. A veces se utiliza, pero no puede entenderse literalmente. "Eres el aire que respiro", "Eres el sol que me ilumina y me da el calor para vivir", "Sin ti mi vida no tiene sentido y todo se oscurece"... son expresiones literarias lindas que quieren manifestar lo importante que una persona es para uno, pero nunca pueden ser interpretadas de manera literal porque hacen daño al apropiarse de un lenguaje muy dependiente.

He encontrado muchas personas que han podido superar la separación de su pareja, y que sin odios, sin resentimientos, han podido encontrar el camino para seguir adelante y realizar sus sueños. Asimismo, he podido compartir con personas viudas que no se han sepultado con su pareja sino que, al contrario, han luchado por ser felices, porque están seguras de que esa es una manera de homenajearlas, así como me he encontrado con personas que han descubierto que el matrimonio no es su vocación y han decidido vivir solas, con una rica vida afectiva que las hace ser alegres, agradables y soñadoras.

Que quede claro: Uno no se casa para ser feliz, uno es feliz y se casa para compartir la vida con una linda persona. Esa persona no es la responsable de la felicidad de uno. Esa es de las más íntimas responsabilidades que cada ser tiene. El matrimonio no es el único camino, ni un espacio para ser feliz; es una de las tantas posibilidades que uno tiene y que puede hacer realidad según el análisis y la decisión que tome.

MITO 2: "ME CASO CON MI MEDIA NARANJA"

Durante mucho tiempo se ha entendido la relación de pareja ideal como el encuentro de dos medias naranjas o se ha invitado a la gente a que encuentre su media naranja, es decir, se habla de dos personas que calzan completamente porque cada una tiene lo que a la otra le falta. Este tipo de invitaciones se basa en la creencia de que somos seres incompletos, incapaces de realizarnos por nosotros mismos y que tenemos que encontrar en otra persona lo que nos falta. Según esta concepción, una pareja no se compone de dos seres que luchan por ser uno, sino de dos mitades que logran formar un solo ser humano.

No se puede negar que la imagen es atrayente; muestra la necesidad de complementación que debe existir en una pareja, pero es una imagen que no corresponde con la realidad y hace que la relación se centre en la dependencia que genera la necesidad de ser completo. Esto daña a las personas en cuanto las hace vivir sin superar sus defectos y carencias. Buscan solo satisfacer a los demás, haciendo que la felicidad dependa única y exclusivamente de esa persona que tiene todo lo que les hace falta. Imagina por un momento si esa persona falta en tu vida y pregúntate cuál sería entonces tu futuro sin ella.

La realidad antropológica y social frente a este mito es clara y contundente:

Los seres humanos somos seres completos. No somos medio seres humanos. Estamos capacitados para ser felices. Nuestra condición biológica y psicológica nos muestra que tenemos lo mínimo que necesitamos para podernos realizar en compañía de los demás. Esto es, necesitamos a los demás pero no dependemos absolutamente de ellos. La felicidad está no en encontrar a alguien que tenga lo que uno no tiene para ser más completo sino en potenciar las propias capacidades, superar las limitaciones y ser cada día más dueño de sí mismo. No es cierto que el único criterio de selección de pareja sea el encontrar en el otro lo que no se tiene. La semejanza también es un criterio de selección importante.

Detrás de la creencia de que la pareja es la media naranja se esconde la idea de que los seres humanos se pueden pedir por catálogo. Es decir, que existe una persona con la lista exacta de "realidades" que le hacen falta a alguien, y que se la puede pedir a la vida. Eso no es cierto. Los seres humanos somos seres complejos, con muchas cualidades y defectos, con posibilidades y limitaciones, con característi-cas de personalidad bastante complejas y difíciles de com-prender. No es de extrañar que la persona que se comprende con alguien en una situación esté muy distante en otra. No existe ese ser que completa a otro idealmente; existen seres con los que uno se siente bien en algunas dimensiones y en otras no.

La realidad nos ha mostrado que las personas no son como nosotros queremos que sean sino simplemente como son. Nadie tiene todas las características que soñamos en una pareja, ni nadie realiza nuestros ideales de manera ab-soluta. Todo el mundo tiene "peros". Es decir, siempre hay características, realidades en el otro que no le gustan a uno, que generan dificultades, que son susceptibles de cambio. Cuando pasamos la etapa de enamoramiento y nos damos cuenta de la realidad de la persona que nos gusta, escoge-mos la opción de seguir amándola y compartiendo con ella a pesar de esos "peros", porque las características que nos gustan son más fuertes y firmes, y nos garantizan una rela-ción sólida. No es una media naranja, ni un alma gemela. Es un ser humano complejo que transita por el claroscuro de la vida en busca de realizarse y de llegar a la plenitud. No es alguien creado o que existe para uno, sino alguien único e irrepetible que tiene las posibilidades y capacidades que necesita para realizarse.

La existencia de seres incompletos que andan buscando su otra mitad nos llevaría a pensar en que hay seres deter-minados a no ser felices, ya que podría existir la posibilidad de que nunca fueran a encontrar su otra mitad. Eso implicaría un determinismo que no podemos aceptar desde nuestra reflexión antropológica e incluso desde la opción de fe cristiana.

Hay que tener cuidado porque la situación que genera el enamoramiento, y sobre la que ya hemos reflexionado anteriormente, crea la sensación de que uno ha encontrado su media naranja en la persona de la que se ha enamorado. Si, cuando se está enamorado, el otro parece haber sido creado para uno, todo se completa fácil y mágicamente con él. La condición de enamorado hace ver la realidad no como es, sino como se quiere que sea, y crea la ilusión de coincidir con el otro en cosas en las que realmente se está distante.

Buscar la media naranja, pues, exige estar en disposición de esperar, de sacrificarse, de recorrer el mundo con el catálogo de las características que se necesitan para sentirse un ser completo y estar ávido de encontrarse a esa otra persona que le dará todo lo que se ha estado buscando a lo largo de la vida, ansioso de abrir una puerta al encuentro mágico de esa persona que ha sido creada para uno y que está esperando el encuentro respectivo. Eso dejaría al azar la realización del proyecto de vida y lo haría demasiado dependiente de esa posibilidad: si no se encuentra a esa persona, no se será feliz.

La existencia de esa media naranja a veces tiene características patológicas, porque se estaría buscando a quien complete incluso los defectos y errores, y no a quien ayude a superarlos para encontrar caminos de crecimiento personal. "Es mi media naranja, porque ella me ayuda a esconder mis defectos en sus 'virtudes' y no me obliga a superarlos", me decía con algo de ingenuidad una señora mientras conversábamos sobre su relación de pareja.

Me he encontrado con parejas que dicen "complementarse" porque ella es exageradamente comunicativa y él es exageradamente callado. Ellos dicen que son completos porque ella habla por él cuando se pregunta y al mismo tiempo se responde. No se están complementando, sino que se están negando la posibilidad de superar sus dificultades; ella le está negando la posibilidad de que él aprenda a expresar lo que tiene dentro y pueda realizarse en una comunicación sana, y él le está negando a ella la posibilidad de aprender a callar, a dominarse y saber comunicarse asertivamente. No estamos ante una pareja perfecta, sino que estamos ante personas que se esconden en los defectos del otro.

Lo mismo he encontrado en personas que buscan ser agredidas, que se comprometen con quienes quieren agredir, y tienen una vida de pareja aparentemente tranquila porque la violencia de uno es soportada de manera estoica y malsana por el otro. Vuelvo a insistir: no constituyen parejas perfectas, son parejas que necesitan que a sus miembros se les ayude a superar los traumas que tienen y a comprender que las relaciones se hacen desde el respeto, el amor y la comprensión.

Negarnos a la existencia de las medias naranjas y de las almas gemelas no supone que neguemos que hay entre los miembros de una pareja complicidades y coincidencias que hacen que la relación sea agradable y realizadora, pero no coincidencias de personas carentes e incompletas sino de personas que se retroalimentan y tienen características muy parecidas que les permiten compartir mucho tiempo juntos. Se necesita una complementariedad, pero no entre dos medios seres humanos sino entre dos seres completos que se unen para ser más cada día. Este aspecto lo trabajaremos más adelante.

Desde el punto de vista de la teología cristiana pensar en seres incompletos es pensar que la obra de la creación no es perfecta, es negar la afirmación que constantemente hace el autor del primer relato de la Creación cuando dice constantemente: "Y vio Dios que era bueno" (Gén 1, 9), para mostrar que sus obras fueron bien creadas. El ser humano no es un medio ser que busca ansiosamente quien lo complete, ni es un ser determinado al encuentro de ese mágico ser que es su alma gemela. El ser humano es una unidad completa abierta a la perfección continua en la vida diaria. Es un ser perfectible en cada una de las dimensiones de su vida.

MITO 3: "SE CASARON Y FUERON FELICES PARA SIEMPRE"

Algunas personas se casan motivadas por el mundo ideal que los cuentos de hadas les pintan cuando terminan diciendo: "...y se casaron y fueron felices para siempre". Eso no es más que la terminación de un relato, de un cuento; no es la descripción exacta de un futuro conocido y documentado. Es la manera como los cuentos quieren decir que esas personas se realizaron, pero no es lo que sucede exactamente después del matrimonio. Seguro fueron felices para siempre, pero luchando y venciendo dificultades, superando momentos difíciles y tristes, encontrándole sentido a los momentos de distancia y de silencio. Seguro fueron felices no por la ausencia de problemas sino porque los superaron y solucionaron con mucha inteligencia y generosidad.

Estoy seguro de que la manera como hemos entendido los cuentos de hadas nos ha hecho creer que la felicidad es la ausencia de dificultades, de problemas, de situaciones tensas; nos ha hecho creer que esas figuras literarias que eran sus personajes tienen que existir con las mismas características que allí se les adjudica. No falta quien esté buscando a su "príncipe azul", sin saber que el azul tiene muchos tonos diferentes o que al mencionar a una joven encerrada en una torre alta y fuerte custodiada por un dragón que espera un caballero que la rescate, se olvida que lo mejor sería buscar la manera de matar ese dragón —que existe más en nuestro interior que afuera—, descender de la torre y buscar con sus capacidades una buena pareja.

La realidad antropológica y social frente a este mito es clara y contundente:

La vida está marcada por situaciones complejas, por desencuentros, por conflictos, por dolores, por tristeza, y en medio de ellos hay que ser feliz. Las parejas felices no son parejas que nunca hayan tenido dificultades y conflictos, sino parejas que han sido capaces de encontrar caminos de realización en medio de esas situaciones. No se trata de la ausencia de dolores y tristezas, sino de aprender a superarlos en la construcción del proyecto de vida.

Los cuentos de hadas tuvieran más que ver con la realidad si nos contaran las dificultades que tuvieron Blancanieves, la Cenicienta y la Bella Durmiente después de sus matrimonios y nos mostraran cómo pudieron superarlas. Pretender un mundo sin dificultades es pretender negar nuestra condición humana. No es de extrañar que el Príncipe haya estado celoso de los enanos que cuidaron a Blancanieves o que la Bella Durmiente luego haya tenido dificultades de insomnio; esas serían situaciones humanas normales que no implican que no hayan podido ser felices.

Insisto en que la felicidad se construye en medio de las condiciones que nuestra naturaleza humana nos permite. Es en medio de las adversidades, las contrariedades, los problemas, en donde se tiene que construir la felicidad. Esto implica madurez y realismo para saber enfrentar cada situación con el tamaño y la intensidad que tiene. No se pueden ni exagerar ni minimizar las situaciones, sino darles el tratamiento que corresponde.

El ideal no es una vida sin emociones fuertes, sin turbulencias, sin sobresaltos, sin tensiones, sin momentos de soledad y de llanto, sin miedos y preocupaciones, sino una vida en la que aprendemos que, para encontrar lo que deseamos, hay que salir a buscarlo, y que muchas veces nos perdemos en el camino y aprendemos todo lo necesario para gozar cuando lo encontremos; una vida que aplaude la decisión de romper el huevo, negar toda sobreprotección y encontrar caminos de felicidad. No podemos seguir creyendo que lo mejor en la vida es estar inmóviles y no tener que equivocarse en las decisiones que se toman frente a las bifurcaciones de la vida. Los errores del presente, las heridas que nos causan en la batalla de hoy, los momentos difíciles que vivimos hoy son las experiencias que podremos contar en el futuro y las que nos harán personas sabias y experimentadas.

El problema no es tener frustraciones o fracasos; el problema es qué hacemos con esas situaciones, cómo las usamos en nuestra vida. ¿Son aprendizajes que nos lanzan por nuevos caminos, con nuevas fuerzas y visiones, o que son anclas que no nos dejan crecer ni fluir en busca de mejores experiencias? Las parejas tienen momentos duros de enfrentamiento, de dolores y tristezas, y así lo tienen que aceptar y asumir; lo importante es saber qué hacer con ellos y descubrir cómo los pueden usar para ser una mejor pareja, para hacer que sus miembros crezcan y mejoren.

La vida de pareja es una experiencia que genera muchas dificultades. No es fácil vivir con otra persona en una sociedad en la que se nos educa para ser egoístas y no compartir nada con nadie. No debe ser fácil encontrarse con otro modelo de familia, con otro modelo de resolución de conflictos, con otras maneras de gozar y de disfrutar la vida misma. La vida de pareja es compleja y es normal que haya situaciones para mejorar, resolver y superar.

No hay pareja feliz sin conflictos. Esto quiero volverlo a subrayar, porque es tan fuerte en nuestra mente el paradigma de felicidad como ausencia de conflictos, que nos cuesta creer que la superación de las dificultades y problemas permita alcanzar la armonía con nosotros mismos, con los otros y con Dios. Se es feliz porque se saben enfrentar y solucionar los conflictos que se generan, porque se sabe ceder, negociar, confiar, comprender y amar con todas las fuerzas a la persona que se ha elegido para ser pareja. La pareja perfecta no existe, pero sí existen las parejas que son felices en medio de todo lo que viven y son.

La pareja que más conozco es las de mis padres. Tienen 49 años de casados y puedo decir que son una pareja feliz, pero han tenido que superar muchas situaciones complicadas y difíciles. No solo por el hecho de que cada uno de ellos, como cualquier ser humano, tenga defectos y cometa errores, sino porque han tenido que enfrentar juntos las enfermedades, los momentos de escasos recursos materiales, los malos entendidos. Son felices, pero su felicidad ha pasado por superar las consecuencias de su condición humana. No todo ha sido abrazos y besos, no todo ha sido triunfos y victorias, pero han podido sentirse a gusto con lo que han hecho y gozar de las situaciones cotidianas. Sonríen y agradecen a la vida el don de ofrecerse a sí mismos en generosidad, pero a la vez piden fuerza a la vida y a Dios para seguir adelante en sus batallas.

Una aclaración: el mito no es que el matrimonio sea una manera de encontrar la felicidad sino la manera de entenderla, la creencia de que al casarse todo se resuelve y que no hay más problemas que enfrentar; ese es el sentido del "vivieron felices para siempre". Me inquieta mucho saber qué pasa el día posterior al final de la películas y de los cuentos de hadas: ¿Cómo se va a reconstruir la ciudad luego de todos los daños hechos en la persecución del malo?, ¿cómo se va a responder a todos los familiares de los muertos colaterales que se ocasionan en la batalla contra el enemigo?, ¿cómo va a ser el día a día después de superar las dificultades que nos tuvieron atentos durante toda el relato? Ten la certeza que no todo termina cuando aparece la palabra "Fin" en la pantalla o en la última página del relato. Ahí apenas comienza la vida misma.

La motivación no puede ser vivir una vida sin problemas después del matrimonio, ni tener una felicidad que excluya todo esfuerzo, sacrificio, dolor, tristeza y preocupación. La motivación es que el matrimonio es uno de los espacios en los que se puede construir la felicidad, y que esta siempre se vivirá desde la condición humana.

MITO 4: "MI PAREJA NO ME ENTIENDE"

Algunos se casan con la motivación de que su pareja tiene que hacer el esfuerzo de entenderlos por completo, que ella debe abrirse completamente al proceso de comprensión de su condición psicológica y labrarles el mejor de los espacios para que puedan realizarse. En principio la motivación sería correcta, si no se redujera a un solo miembro de la pareja. El mito está en creer que es solo una persona la que tiene que entender al otro miembro de la pareja, como si se tratara de una relación de una sola vía.

Ya en el transcurso de la vida matrimonial se sienten frustrados porque creen que esa motivación no se está cumpliendo, que la pareja no se está esforzando por entenderlos y hacerles la vida más llevadera. Creen que todos los problemas se resolverían si el otro hiciera el esfuerzo de comprenderlos, aún a costa de despersonalizarse o de tener que ceder en lo que considera fundamental para su propia vida.

La realidad antropológica y social frente a este mito es clara y contundente:

La vida matrimonial es una experiencia dialógica y por lo mismo son los dos miembros de la pareja quienes tienen que hacer el esfuerzo por sostener, alimentar y sacar adelante, de la mejor manera, la relación. Esta es responsabilidad de los dos miembros de la pareja. Estas tareas no pueden recaer sobre una sola persona, porque de ser así termina dañando gravemente la relación de pareja y programando su final, seguro con heridas muy profundas.

Cuando una persona dice: "Mi pareja no me entiende", debiera preguntarse si su pareja piensa lo mismo, lo cual es muy probable, ya que la comunicación exige una activa participación de las dos personas en la construcción del sentido. No se trata solamente de que alguien lo entienda a uno sino de saber si uno se está haciendo entender, de si se están generando las condiciones para que se dé esa comprensión. Muchas veces lo que se da en las relaciones de pareja es un diálogo de sordos en el que ninguno de los dos miembros hace el esfuerzo ni de escuchar ni de expresarse bien.

El error puede venir de la creencia equivocada de que el otro está obligado a entenderme y no de la sana motivación de que voy a hacer todo lo posible por hacerme entender, por entender al otro y por generar el espacio adecuado para que se pueda dar una comunicación eficaz.

La comunicación humana exige una doble acción: la de escuchar y la de hablar, la de asumir una actitud de recepción del mensaje que nos comunica pero a la vez la de emitir (producir) ese mensaje. No hay una acción pasiva en la comunicación, todos están en actitud de participar y de lograr comunicarse de la mejor manera. Tener una buena comunicación es responsabilidad de los dos miembros de la pareja. Ambos tendrán que comprender lo fundamental de la comunicación y todo lo que tendrán que hacer para lograrla.

Escuchar es mucho más que recibir las ondas que salen de la boca de la otra persona; la comunicación es una interpretación, es la apertura a la captación del mensaje y los sentimientos de la persona que nos habla; es tratar de ver el mundo como esa persona lo está viendo para poder construir una relación sólida y estable. Se exige mucha atención, apertura, empatía y generosidad, entre otros factores.

Hablar implica respeto por el otro, claridad, redundancia, actitud para compartir con el otro lo que se considera que es fundamental que comprenda. No se trata de imponer un saber o una información, sino de compartir desde la humildad lo que se piensa y se siente. El que sabe hablar no arremete contra el otro con violencia ni prepotencia, sino que genera la posibilidad de expresar lo que tiene dentro y considera que es necesario que el otro comparta.

Más adelante volveremos sobre este punto de la comunicación, fundamental en la construcción y el sostenimiento de una vida de pareja. Lo importante es dejar claro que la motivación no puede ser simplemente encontrar a alguien que lo escuche a uno y lo entienda, sino abrirse al complejo proceso de la comunicación humana y tratar de dar todo lo mejor de sí.

A lo largo de la realización de retiros espirituales y encuentros con parejas me he encontrado con que este es uno de los mitos que más daño hace, porque algunos se casan convencidos de que la otra persona está en la obligación de entenderlos y no se esfuerzan por ser claros y coherentes, ni por cambiar sus actitudes negativas y generar relaciones sanas de respeto, confianza y solidaridad.

En el fondo de esta equivocada motivación se esconde el egoísmo propio de una sociedad que nos ha hecho creer que somos el centro del universo y que todo gira en torno nuestro. Estamos convencidos de que somos lo mejor, de que todas las demás personas se deben rendir a nuestros pies y adorarnos como si fuéramos su dios.

El amor es totalmente lo contrario. El que ama quiere que el otro sea feliz, que el otro pueda tener las condiciones necesarias para realizarse, para alcanzar las metas que se ha propuesto. El amor es la lucha por afirmar al otro y por darle lo que creemos que se merece. El que ama piensa en el amado y da lo mejor de sí para ayudarlo a ser feliz. El amor siempre es una experiencia de doble vía: te amo y me amas. Lucho por ti y luchas por mí. Doy lo mejor de mí para que puedas sonreír, y tú das lo mejor de ti para que la sonrisa no se borre de mi cara. Te sirvo con total generosidad y veo cómo me sirves con la abundancia de tu corazón que ama. Cuando hay amor no hay miedo de esforzarse por entender a la otra persona, porque estamos seguros de que ella está haciendo lo mismo por nosotros.

Insisto en que el problema está en querer construir desde el egoísmo narcisista de uno de los miembros de la pareja. Una relación de pareja que no esté abierta a la solidaridad, a la generosidad, al servicio, a la justicia, no va a permitir que sus miembros se realicen. Nadie puede creerse mejor que el otro y pretender que el otro esté a su merced. Todas las expresiones poéticas que posibiliten la lectura de un sometimiento, de una imposición, de esclavitud, tienen que ser bien leídas, comprendidas y hasta purificadas. En la composición *Me rindo, majestad*, Adolfo Pacheco, uno de nuestros juglares del folclor de la música de acordeón, dice:

> *Voy a abdicar el trono de mi reinado,*
> *vengo a decirle: Me rindo, majestad,*
> *usted será la reina, yo su vasallo,*
> *le entrego toda mi libertad [...]*
> *Pero si abusas de mi desprendimiento,*
> *automáticamente me vuelvo un rey.*

Es así. La relación de pareja no puede nunca permitir ningún abuso de la otra persona. Y esta motivación de que el otro me tiene que entender no permite que las personas se relacionen como iguales y genera unos niveles impropios para una relación de amor.

También es importante que las personas creyentes lean bien, en clave de solidaridad, en doble vía, algunos textos bíblicos que se han usado para oprimir y subyugar a uno de los miembros de la pareja. Estoy pensando por ejemplo en el himno del amor de Pablo a los Corintios (1 Co 13, 1-12) que, seguro, vivido como ágape, es lo mejor que nos puede pasar, pero que vivido desde el egoísmo, desde lo que el otro me tiene que dar, se puede convertir en una herramienta de esclavitud. También vale la pena leer bien los deberes conyugales que Pablo le plantea a la comunidad de Éfeso (Ef 5, 21-33): que no solo son tributarios del momento histórico, social y cultural en el que son escritos, sino que deja claro que es una experiencia de dos: "Esposas, sométanse a sus propios esposos como al Señor", con su correlativo: "Esposos, amen a sus esposas, así como Cristo amó a la Iglesia y se entregó por ella". Es muy probable que las expresiones nos ocasionen dificultad al leerlas, pero el sentido es claro: es una relación de dos, donde ambos tienen unas obligaciones marcadas por la equidad.

MITO 5: "QUIEN AMA CELA"

En el proceso de la psicología evolutiva es muy normal que el niño aprenda a entenderse a sí mismo como un sujeto distinto de los demás a partir de la confrontación con el otro, y aparezca el pronombre posesivo "mío" como una manera de expresar que sabe quién es. Los niños pequeños marcan todo con la palabra "mío"; todo es de ellos y entran en disputas pueriles con todo aquel que se acerque a algo que considere suyo. En la medida que va madurando, esa sensación de posesión va pasando.

Dolorosamente algunos creen que las personas se poseen y entienden el amor como la posesión de una persona: "Me ha dicho que me ama, luego es mía; nadie tiene por qué mirarla ni ella tiene que mirar a nadie". Se genera una actitud de vigilancia constante de esa persona, "para que nadie me la quite o ella no se vaya con nadie, puesto que me pertenece".

Muchas personas creen que esto es normal, y se casan con la motivación de hacerle sentir a la otra persona que les pertenece y que no puede hacer otra cosa distinta a estar ahí para el otro. Tienen la creencia de que celar es una muestra de amar. Están convencidas que quien no cela no ama y que hay que cuidar al ser que se ama hasta el extremo para que no se vaya con nadie.

Son personas que generan unos sistemas de monitoreo y de vigilancia bastante sofisticados para no permitir que las engañen. También pueden llegar a tener experiencias vergonzantes como, por ejemplo, oler la ropa íntima de la persona amada, para asegurarse de que no ha estado con nadie más y sigue siendo suya. Cualquiera que sea el método usado, lo cierto es que esas personas hacen de la vida una experiencia difícil, que se padece, que se sufre y que agobia demasiado.

La realidad antropológica, psicológica y social frente a este mito es clara y contundente:

Los celos no expresan amor sino inseguridad. Alguien que cela en extremo y que llega incluso a denigrar de su dignidad y de la dignidad de su pareja es una persona con baja autoestima y una gran inseguridad. Seguramente no se siente lo suficientemente valiosa como para merecer el amor que le están dando y cree que en cualquier momento el otro va a tomar conciencia de su poco valor y la va a dejar.

Los celos no expresan amor sino miedo al abandono. Las personas que celan exageradamente viven con el miedo de ser abandonadas, en algunos casos porque tienen en la base de su proyecto de vida una dura experiencia de abandono que no han podido superar. En su infancia experimentaron mucho abandono y creen que nadie las puede amar verdaderamente hasta llegar a ser su compañía en la vida, sino que están convencidas de que el otro las van a dejar solas a la mínima oportunidad. Lo peor es que actúan de tal manera que su autoprofecía termina cumpliéndose, porque nadie quiere estar al lado de una persona hostigante e insegura, de una persona celosa.

Los celos no expresan amor sino incapacidad de amar sanamente. El que ama sanamente no tiene miedos ni preocupaciones incontrolables sobre su pareja. No construye situaciones inverosímiles ni tiene ideas irracionales que le alimentan su inseguridad frente al otro. El que ama sanamente sabe qué significa para la otra persona, sabe cuánto vale y entiende que nadie le puede dar al otro lo que él le está dando.

Los celos no expresan amor sino inmadurez. Normalmente los celosos son personas insanas mentalmente que se encuentran viviendo etapas anteriores de su proceso de crecimiento. Siguen creyendo que las personas son suyas y que tienen que defenderlas de todo aquel que se acerque. Es como si fueran niños que creyeran que la pareja que tienen es uno de los juguetes de su propiedad que no quieren compartir con nadie.

El amor exige libertad. Amo porque quiero, porque decido hacerlo. Estoy a tu lado porque libre y conscientemente lo he decidido. Si uno tiene que obligar al otro a estar a su lado, no hay amor, hay obligación, y eso no realiza a nadie. Quien ha madurado y tiene una buena salud mental sabe que no puede obligar a nadie a que lo ame, a que sienta algo por él. Eso forma parte de la inviolabilidad del ser humano. Me puedes obligar a hacer cosas pero no me puedes obligar a sentir esto o aquello.

El amor exige confianza. Nadie puede garantizar que el otro lo ame a uno. Esa es una realidad muy interior de la cual no se tiene experiencia directa; es siempre una experiencia mediada por acciones y comportamientos. Las obras del otro pueden expresar todo lo contrario de lo que hay en su corazón. Por eso toda relación fundada en el amor tiene en la confianza una condición necesaria. Nunca tendrás la certeza de que el otro te ama ni siquiera si lo monitoreas exhaustivamente y lo obligas a mirarte todo el tiempo.

El amor exige respeto. Una relación de pareja tiene en el respeto un valor fundamental. Hay que evitar toda acción que implique maltrato y ataque a la dignidad de la otra persona. El amor tiene que dejar que uno se realice, que uno sea, que nunca se potencie lo contrario. Una relación que despersonalice es una relación dañina. La singularidad de las personas nunca debe estar en riesgo en una relación.

El amor exige fidelidad. Nadie quiere compartir, en un buen estado de salud mental, a su pareja con nadie. Todo el mundo la quiere para sí. Las páginas de la historia están llenas de poesía, de canciones que le cantan a la fidelidad, al hecho de que el otro no quiere ni desea a nadie como lo hace conmigo. Pero esa fidelidad no es fruto de la fuerza ni de la imposición, sino de una decisión libre de aquel que ama. Puedes hacer lo que el otro quiera, pero si la otra persona decide no ser fiel, eso no puede impedirse. Por eso la única manera de propiciar fidelidad es vivir en el amor, es hacer feliz a la otra persona y abrirle espacios para que pueda realizar su mejor versión.

Los celos son una responsabilidad de quien los padece. Nadie puede culpar a la otra persona de que lo esté obligando a sentir celos. Todo el mundo es dueño de sus emociones y decide lo que debe hacer frente a los estímulos que recibe constantemente de los demás. Los celosos distorsionan la realidad, inventan situaciones, malinterpretan lo que oyen y ven, y son capaces de encontrar cualquier excusa para sentirse amenazados por la presencia de otra persona o la relación con ella. Una característica muy común de las personas celosas es que culpan a los otros de lo que ellas están sintiendo. Hay que tener claro que no se pueden controlar los estímulos que se reciben, pero que sí se puede decidir la reacción frente a ellos. Es decir, hay que ser proactivo.

No faltan las personas a quienes les gusta sentirse celadas. Son personas que hacen todo lo posible por generar situaciones que ocasionen malos entendidos y que hacen reaccionar a su pareja para que muestre cuanto las ama. Estas personas están igualmente necesitadas de trabajar su psicología y entender por qué están comportándose de esa manera. No creo que sea sano exhibirse, generar relaciones ambiguas, propiciar situaciones incómodas para sentirse celadas y, por lo mismo, amadas.

No son pocos los casos que conozco en que los celos han creado una situación invivible que hace que la relación se deteriore completamente. Revisión continua del celular; llamadas periódicas con la invitación a que uno manifieste públicamente, en el lugar en el que se encuentra, que ama al otro; revisión y control de la ropa que se va a usar; imposibilidad de mirar a cualquier otra persona si el otro está allí; prohibición de que tener amigos; exigencia de conocer las claves de las redes sociales para poder entrar en ellas cuando el otro quiera; no dejar "espacios de soledad", son algunas de las tácticas que he visto que usan las personas celosas para tratar de mantener bajo control a su pareja.

La motivación del matrimonio no puede basarse en los celos. La gente no se puede casar para ser vigilada y espiada. El matrimonio debe vivirse en la experiencia más clara de libertad, confianza, respeto, realización. Uno debe sentirse seguro de sí mismo y por ello seguro de la relación que está construyendo. Insisto en que la manera de propiciar fidelidad es tener una relación sana, gratificante, realizadora y atractiva. Quien se siente bien en su relación normalmente no busca a nadie más para ella.

Seguramente hay muchos otros mitos que ocasionan que las personas se casen pensando en una realidad que no se va a dar o que les van a causar mucho problema en su relación matrimonial, pero quise señalar estos cinco que son los que más he trabajado en el diálogo con las parejas a las que asisto.

Lo que queda claro de todo esto es que se deben purificar las motivaciones que se tienen para tomar la decisión de casarse o, si ya se está casado, tratar de entender los motivos que lo impulsaron a uno a tomar esa decisión, ver cómo se puede sanar lo que no está bien y orientar las motivaciones en un sentido correcto.

TEST
Mitos del matrimonio

Instrucción: Señala la respuesta que mejor se ajusta a tus decisiones y sentimientos:

a. Me casé, o quiero casarme porque:
1. Estoy convencido de que, juntos, podemos construir un buen futuro.
2. Es el paso lógico que debemos dar en nuestra relación.
4. Ya no me veo empezando desde cero con otra persona.
4. Siento que esta es la persona que puede hacerme realmente feliz.

b. Considero que mi pareja es:
1. Alguien que me aporta, me complementa y me inspira para vivir mejor.
2. La persona indicada para que mis proyectos tengan un buen apoyo.
3. La persona con la que debo estar ahora.
4. La única persona que puede darme eso que tanto me hace falta.

c. Creo que nuestra vida de pareja debe ser:
1. Un permanente compartir de alegrías, luchas, esfuerzos y victorias, en el que es posible que a veces no estemos de acuerdo o estemos en crisis.
2. Un ejercicio constante de convertir los problemas en oportunidades con decisiones estratégicas de los dos.
3. Llevarla lo mejor posible y tratar de hacernos la vida agradable sin tanta complicación.
4. Lograr estar felices siempre, sin pelear, sin conflictos, sin que se apague lo que sentimos.

d. Cuando no estoy de acuerdo con mi pareja, creo que deberíamos:

1. Reconocer que somos distintos y, aunque tenemos que estar de acuerdo en lo fundamental, podemos estar en desacuerdo en otras cosas.

2. Establecer puntos de consenso y de discusión, y evacuar temas por orden de importancia.

3. Escoger una opción, puede ser la de él/ella, con tal que dejemos de pelear.

4. Preocuparnos seriamente porque algo malo está pasando en la relación.

e. Frente a las relaciones de amistad y cariño que tiene mi pareja con otras personas yo:

1. Valoro a esas personas que hacen parte de su vida, y entiendo que ambos tenemos personas que son importantes para nosotros y que no son una amenaza.

2. Establezco claramente los límites de nuestra relación y actúo con medidas preventivas y correctivas ante cualquier peligro que percibo.

3. Sé que mi pareja puede hacer o deshacer, lo importante es que yo no me entere.

4. Creo que los celos hacen parte de demostrar interés por el otro, y se lo demuestro.

Resultados:

- *Si tienes 3 o más respuestas marcadas en el N.º 1*, parece que te encuentras listo para leer este capítulo sin mayores complicaciones y encontrarás luz sobre cosas que ya vienes pensando.

- *Si tienes 3 o más respuestas marcadas en el N.º 2*, parece que estás viendo tu relación como un proyecto empresarial por gestionar. Este capítulo puede costarte un poco y servirte mucho.

- *Si tienes 3 o más respuestas marcadas en el N.º 3*, parece que estas totalmente resignado y sembrando una enorme infelicidad futura, y debes leer urgentemente este capítulo.
- *Si tienes 3 o más respuestas marcadas en el N.o 4*, primero, no te cases todavía, y segundo, ¡Felicitaciones: estás enamorado(a)! El capítulo que acabas de leer es completico para ti.

Capítulo 4

Motivaciones matrimoniales

Cuando preparo a parejas para celebrar el sacramento del matrimonio, siempre les pregunto: ¿Para qué se casan? Creo que sin tener clara la motivación, nada de lo que se va a celebrar tendrá el sentido, el compromiso y la dimensión que se requiere. He encontrado todo tipo de repuestas, y por eso creo que es necesaria esta reflexión.

Luego de pasar la etapa de enamoramiento, conocer conscientemente a la pareja, sentir y entender que se quiere vivir unido a esa persona, y tomar la decisión de casarse, ¿qué se espera de la vida matrimonial? ¿Qué se está dispuesto a dar y a qué se compromete uno? Está claro que tanto lo que se espera recibir como lo que se está dispuesto a dar supone actuar proactiva y propositivamente, a sabiendas de que lo que viva la pareja después del momento de la boda será el fruto de lo que ambos hagan.

En el capítulo anterior reflexionamos acerca de motivaciones equivocadas o irreales que llevan a que la experiencia de pareja no sea la mejor y ocasione a sus miembros dificultades muy serias en el diario vivir. Con seguridad, muchas de las crisis que se ocasionan en las parejas de hoy tienen que ver con que sus miembros se sienten decepcionados y frustrados porque el matrimonio no les está dando lo que estaban esperando con tanta ansiedad.

Por eso, en este momento quiero que el lector se pregunte para qué se casan las personas, qué las debe motivar a casarse, cuáles son las motivaciones que las deben impulsar a tomar una decisión tan importante, qué deben buscar en la relación matrimonial cuando deciden casarse y qué propone la teología cristiana como motivos para celebrar el matrimonio.

Propongo las principales razones por las cuales se deben casar los seres humanos a partir de la teología cristiana y de lo que he podido comprender de la vida matrimonial a partir del estudio y del compartir con las parejas con las que he trabajado, pues considero que es fundamental tenerlo claro para poder tener una relación de pareja exitosa. Si se va al matrimonio a buscar lo que este no le puede dar, es muy probable que haya dificultades y que pronto sobrevenga la decepción. Nada más frustrante que no encontrar lo que se ha deseado intensamente en la relación matrimonial o, peor aún, constatar que todo lo que se creyó encontrar eran auténticas ilusiones o quimeras que el enamoramiento había generado.

Así como creo que estas reflexiones pueden servirles a las personas que están casadas para tratar de reorganizar la vida matrimonial, también pueden servir para que se dejen cuestionar por ellas y a la vez para plantearse tareas que permitan cambiar o tener actitudes que ayuden a que todo sea mejor.

LAS PERSONAS SE CASAN PARA COMPLEMENTARSE

El ser humano es un ser completo. Ser humano implica tener las condiciones necesarias, en sí mismo, para realizarse. Experimenta como un ser que es y que está siendo, que está llamado a su realización. Esta se construye en relación con los demás seres humanos. Y en esas relaciones la de pareja se presenta como un espacio de complementariedad, no porque sus miembros estén incompletos, sino porque son dos seres humanos que se unen para realizar un proyecto de pareja, para construirse junto al otro y vivir a plenitud su vida. Aunque esos dos seres podrían vivir solos, deciden casarse y agregarle a su vida las posibilidades y capacidades que tiene compartir su existencia con otro.

Es importante tener claro que el hombre es un ser lleno de posibilidades y de limitaciones. Tiene muchas cualidades, pero a la vez tiene carencias. En sus relaciones, los demás le pueden ayudar a potenciar sus capacidades y a superar sus limitaciones. Las relaciones de pareja se deben inscribir en ese contexto. No se trata de completar al que es incompleto sino de que ambos seres se complementen a partir de su condición, de sus posibilidades y de sus límites.

Esta complementariedad la presenta el libro del Génesis en estos términos: "Creó Dios al hombre a su imagen; a imagen de Dios lo creó; varón y hembra los creó" (Gén 1, 27), dejando así constancia de su diversidad y a la vez de su igualdad. Son diversos como seres —varón y hembra—, pero a la vez tienen la misma dignidad porque han sido creados a imagen y semejanza de Dios.

Cada uno está llamado a salir de sus límites y trascender en el encuentro con su pareja para realizarse. El relato bíblico lo expresa así: "No está bien que el hombre esté solo; voy a crearle una ayuda adecuada" (Gén 2, 18). Esa ayuda adecuada supone la relación intersubjetiva que puede establecer con la pareja y que no podría establecer con ningún otro de los seres de la creación.

Eso explica la reacción alegre y feliz del hombre al darle la bienvenida a la mujer: "Y el hombre dijo: Esta es ahora hueso de mis huesos y carne de mi carne; ella será llamada mujer, porque del hombre fue tomada" (Gén 2, 23). En ambos relatos se deja claro que la pareja está inscrita en el plan de Dios y que es uno de los modos como el hombre puede realizarse. Se insiste en la igualdad en dignidad de los dos y en la diversidad. Son iguales pero diferentes.

Esta complementariedad se expresa diariamente en el compartir la vida y tratar de encontrarle entre los dos el sentido a todo lo que hacen y quieren hacer. Es construir juntos la vida, sin que cada uno pierda su singularidad, sin que se mimetice en el otro, sin que asuma sus características, sin que se diluya en la relación, pero sumando las fuerzas para multiplicarlas y dividiendo las penas para hacerlas cada vez menos intensas.

Esta complementariedad supone ser capaz de ver, a través de la pareja, perspectivas que el propio género y la propia manera de ser y de entender no lo permiten. Es sumar a la propia cosmovisión las posibilidades de otra cosmovisión, la de la pareja. Así se tienen posibilidades que desde el propio ser no se podrían tener. Es todo lo que puede aportarle a una mirada masculina el género femenino, y viceversa, a sabiendas de que los dos tienen cerebros que funcionan de manera diferente y que se aproximan al mundo desde puntos distintos.

La base para dicha complementariedad es la estructura dialógica del ser humano, un ser humano que se entiende desde el rostro del "tú" que se le presenta y se le ofrece como compañero en la aventura de existir. Este es persona, concepto que implica siempre la relación con otros. El hombre tiene una estructura que lo lanza hacia fuera, hacia el encuentro de amor con el otro. Su plenitud la logra en el encuentro personal con los otros seres humanos.

Se trata de ser en relación, una relación en la que los dos se ayudan a construir. No hay dependencias ni sometimientos, ni adicciones. Hay una relación sana, madura, estable, que propicia que los dos se ayuden solidaria y sinérgicamente a realizarse como seres humanos que son. Se trata de vivir juntos la pasión de infinito, de alcanzar la plenitud que desean ardientemente.

Por eso no dejan de ser quienes son. Siempre serán dos seres singulares creados para la relación y que encuentran en el otro posibilidades y cualidades que se suman a las suyas. No son dos medias naranjas que se fusionan y forman una sola naranja. Son dos naranjas que se juntan y forman una realidad que las trasciende, pero que no las niega en su ser particular. Son un yo y un tú que se funden en un nosotros maravilloso y productivo.

En esta medida los dos trabajan por satisfacer sus necesidades. No en la actitud del egoísta que busca un satisfactor para usarlo y desecharlo, sino en la actitud del que ama, del que quiere ayudar al otro a ser y en esta medida está dispuesto a ayudarle en todo lo que necesita. La relación no se centra en el satisfactor que se ofrece, sino en la persona, el ser humano que lo ofrece. No hay miedo de ayudar al otro a ser, sino, al contrario, hay una firme decisión de hacer que el otro se realice y viva feliz, sabiendo siempre que es una experiencia en dos vías, y que recibo del otro, aunque no la busque, la misma respuesta en la consecución de sus ideales y propósitos.

Cuando pienso en necesidades fundamentales de cada ser humano, tengo presente la clasificación que hace Manfred Max Neef[15]:

---

15   Max-Neef, M. *Desarrollo a escala humana.* Barcelona: Editorial Icaria, 1994, p. 41.

- Según categorías existenciales, las necesidades de: ser, tener, hacer, estar.
- Según categorías axiológicas, las necesidades de: subsistencia, protección, afecto, entendimiento, participación, ocio, creación, identidad, libertad.

Creo que la complementariedad pasa por ser capaces de ayudarse a satisfacer esas necesidades, ayudarse a construir juntos el proyecto de vida, dejar de pensar la vida solo en términos singulares y particulares, y comenzar a pensar más en función de la comunidad que ahora son.

Tienen un proyecto común que va más allá de los proyectos personales de cada uno. Entienden que son una comunidad y que se necesitan el uno al otro, que se requieren para alcanzar todo lo que se han propuesto. Comprenden que el otro es un don de la vida y de Dios que tienen que cuidar y ayudar. Es descubrir que juntos pueden lograr mucho más.

Esta complementariedad se tiene que dar en todas las dimensiones del ser. No solo se complementan como amigos y como amantes sino como hermanos. Esto es, son capaces de generar relaciones de reciprocidad, de comunicación, de ayuda que alcanza al ser completo. A veces se dan experiencias de pareja donde la complementariedad se reduce a entenderse bien en una dimensión del ser, por ejemplo en lo genital, y tienen que sufrir porque no toda la vida se realiza en la cama.

Esta motivación tiene que fortalecer e impulsar bien la decisión de vivir en pareja, celebrar un matrimonio y hacer un compromiso —en el caso de nosotros, los católicos, para siempre— que implica mucho esfuerzo y dedicación. Quien entiende que su vocación es compartir la vida con otra persona en una relación de pareja tiene que estar dispuesto a ser abierto, generoso, solidario, servicial y solidario, ya que esa es la única manera de realizar la complementariedad que exige esta experiencia.

Lo ideal de las parejas es que sean capaces de vivir juntos un momento de perdida, de frustración, de fracaso, de alguna de las dos personas. Estas parejas se apoyan, se consuelan, se acompañan y se ayudan a superar esas situaciones. Son parejas capaces de entender que hacer juntos la vida implica también ser capaces de ayudarse en todas las situaciones diarias que se presenten. Nada mejor para un ser humano que poder encontrar con quién compartir sus dolores, sus miedos, sus preocupaciones, sus penas. Es muy posible encontrar fácilmente personas con las cuales se puedan compartir los momentos más emocionantes y alegres de la vida, pero es más complicado en aquellos en los que se llora y se muestra toda la vulnerabilidad del ser. Es allí donde la complementariedad con la pareja es fundamental.

Esa complementariedad se expresa incluso en la manera como ambos enfrentan las dificultades que tiene uno de los miembros de la pareja. Recuerdo a un amigo que se quedó sin trabajo y durante algún tiempo quedó encargado de las actividades domésticas, mientras su esposa, con total generosidad y solidaridad, trabajaba duro para traer los recursos necesarios a la casa. Me emocionaba darme cuenta de que ni él se sentía apocado y despreciado, ni ella creía que estuviera haciendo algo heroico y digno de ser aplaudido. Al poco tiempo él logro encontrar con un amigo un negocio que lo sacó de esa situación, y ahora viven felices, ella sin tener que trabajar —incluso ha vuelto a estudiar otra carrera— y él haciendo producir su negocio. Los dos entendieron que se casaron para complementarse y ayudarse hasta en los momentos más difíciles de la vida, o sobre todo en estos momentos.

También me he encontrado con parejas incapaces de complementarse y de ayudarse. Viven en una continua competencia que los hace sufrir cuando a alguno de los dos le va mejor en su trabajo; o personas que se ven solas y abandonadas en situaciones muy duras a pesar de vivir en pareja. Comparten el dormitorio con su pareja pero a la vez se sienten aisladas y sin ayuda para seguir adelante. Son personas que no se complementan en lo sustancial y buscan la manera de competir.

Todavía recuerdo a una pareja en la que la esposa acusaba al esposo de ser un "mantenido", un "vago", uno que "no ganaba lo suficiente en el trabajo". Cuando compartí con ellos sobre el tema me di cuenta de que la razón para que la mujer se sintiera tan dueña de todo era que ganaba 50 000 pesos más que su esposo. ¡50 000 pesos! que ella ganaba de más la hacía una persona trabajadora y a él un pobre vago. Fue mucho el trabajo que tuvimos que hacer para que ella pudiera comprender que constituían una pareja y que la idea era complementarse solidariamente y no acusarse ni dañarse.

Tampoco voy a olvidar a una pareja que se presentó ante mí porque ella quería separarse de su esposo. No aguantaba la falta de liderazgo de este. Creía que el nivel de iniciativa de su esposo era demasiado bajo para poder compartir la existencia con ella. Mientras la vi actuar en los momentos de diálogo me di cuenta de que se comportaba como una capataz, que no había un momento en el que no estuviera dando órdenes que su esposo con la mayor tolerancia, sumisión y respeto obedecía y ejecutaba. Cualquier manifestación de liderazgo del esposo era negada con un grito o una actitud violenta. Lamenté no poderle ayudar a hacer conciencia de que las relaciones que tenía que establecer eran de complementariedad y que eso era lo que menos estaba pasando en su relación. Al final, dolorosamente, se separaron; el otro día la encontré con un hombre de las mismas características de su esposo anterior, lo cual me hizo pensar que pronto volvería a quejarse de la mala suerte que tiene de ser escogida por esas personas tan pusilánimes.

LAS PERSONAS SE CASAN PARA DAR VIDA

Uno de los fines de la vida matrimonial es dar vida. El autor bíblico lo presenta en estos términos: "Dios los bendijo y les dijo: Sed fecundos y multiplicaos" (Gén 1, 28). Dios invita a Adán y Eva a procrear, a tener hijos. Pone el futuro del pueblo bíblico en las manos de esta pareja. Uno de los motivos de la creación es la fecundidad, que puedan crecer y multiplicarse, dar de sí a los demás.

En el plan de Dios el amor de un hombre y una mujer tiene que trascenderlos a ellos mismos y comunicar vida. En el contexto teológico la relación de pareja no se trata de una experiencia egoísta que se agota en los intereses de los miembros de la pareja sino que es una experiencia fecunda, creadora de vida. No se puede entender simplemente como el realizarse en la consecución de sus ideales sino el trascender, desde el acto creador, a la comunicación de la vida que Dios le ha dado. Se trata de seguir la lógica de Dios, que nos ha comunicado la vida como un don y espera que nosotros la comuniquemos a otros seres.

El tema de la fertilidad no es fácil hoy cuando los intereses egoístas dominan todas las dimensiones de los seres humanos y se manifiestan en una clara decisión de no tener hijos, de quedarse en sí mismos y contemplarse en la realización de metas. Se utilizan muchos argumentos para negarse a la posibilidad de los hijos, todos ellos fundados en el egoísmo de unos seres que no quieren hacerse responsables de situaciones que vayan más allá de su control.

Los hijos no son extraños a la vida matrimonial. Ellos están llamados a formar parte importante de esta experiencia. Lo ideal sería que al iniciar su vida en común la pareja tuviera claro que quiere tener hijos —definir cuántos es muy importante para no tener más adelante sorpresas que le dificulten la convivencia— y que quiere formarlos desde el ideal de vida que considere más pertinente. Deben ser planeados y fruto del amor que la pareja se tiene. Los hijos concentran lo mejor de la pareja, el amor que siente el uno por el otro. Nada más emocionante que la experiencia de ser padres y de poder compartir la crianza de los hijos. Las diferentes etapas de la crianza agregan a la vida de pareja colores, sabores, matices que la enriquecen y la hacen gratificante y agradable.

Los hijos nunca deben desplazar a la pareja. Siempre tiene que estar claro que la relación base es la de pareja y que del estado de esta va a depender en gran parte la relación con los hijos. Estos siempre son transitorios. Llegan, transforman y, normalmente, se van luego a realizar su propia vida. Por eso el centro es la pareja que se ama y cuyos miembros han decidido compartir la vida para siempre. Las parejas que no logran entender que sus hijos son transitorios terminan teniendo dificultades muy serias cuando estos se van y sufren el síndrome del nido vacío.

Los hijos son responsabilidad de los dos padres y ambos deben estar al frente del proceso de crianza, el cual debe ser fruto del trabajo en equipo y de la decisión inteligente de hacerlo desde unos valores claros y concretos. Ambos, los miembros de la pareja, desde sus características únicas e irrepetibles, aportan a los hijos muchos elementos que construirán su personalidad. Diálogo, cercanía, limites, respeto, confianza, responsabilidad, solidez, coherencia deben ser algunas de las actitudes y de los valores con los que se viva ese proceso de crianza.

"El tema de la paternidad responsable tiene un significado más profundo que aquel atribuido habitualmente. Significa que Dios confía lo más valioso que puede dar, es decir, la vida humana, a la responsabilidad del hombre y de la mujer. Ellos pueden decidir el número y el momento del nacimiento de los hijos. Deben hacerlo desde la responsabilidad ante Dios y el respeto a la dignidad y el bien de la pareja, desde la responsabilidad con respecto al bien de los hijos y desde la responsabilidad para con el futuro de la sociedad y el respeto a la naturaleza humana"[16].

Conozco muchas parejas que han encontrado en la procreación una manera de proyectarse, de darle continuidad a sus proyectos personales, y han podido realizar el proceso de crianza con la atención, la generosidad, la apertura necesarias para acompañar a sus hijos en el proceso de hacerse autónomos y dar cuenta de sí mismos ante la sociedad. Es hermoso encontrar el esfuerzo de unos padres que dan todo de sí porque sus hijos puedan tener las condiciones necesarias y dignas para realizarse. Son padres de familia que han entendido que la crianza es un acto de amor, de proexistencia, de entrega, de vivir para el otro. Si una pareja se pusiera a esperar a que sus hijos le pagaran todo lo que ellos le han

---

16   Kasper, W. *El evangelio de la familia*. Santander (España): Sal Terrae, 2014, p. 29.

dado, se quedaría frustrada y decepcionada, porque nada compensa todo el esfuerzo que hay en la vida de pareja para que los hijos lo tengan todo. Una manera de honrar padre y madre es entender este acto generoso de la crianza, sabiendo que hay que hacer todo por los padres con la conciencia de que nunca se podrá pagar todo lo que ellos han hecho por los hijos. Dice el poeta vallenato: "y con toda la plata que he ganado / cuántos problemas he solucionado / pero nunca me alcanza / pa' pagarle a mi viejo la crianza / que me dio con esmero", y así deja clara la gratuidad con la que se debe entender este proceso de la crianza.

Infortunadamente también conozco parejas que no han sabido vivir la experiencia de procrear, al no planear esta realidad y vivirla irresponsablemente, y esto se les ha vuelto una dificultad imposible de solucionar: tienen problemas que van desde cómo criar los hijos hasta el reclamo constante por las maneras de relacionarse. Normalmente estás dificultades se viven entre dos extremos: la sobreprotección y el abandono.

He encontrado también parejas que han hecho de su imposibilidad de concebir biológicamente una herramienta para herirse, maltratarse y odiarse hasta la separación. Recuerdo a una pareja en la que ella constantemente le enrostraba a su esposo que no pudiera producir el número suficiente de espermatozoides que permitiera su embarazo. Fue tal la humillación constante que, infortunadamente, en vez de abrirse a la vida en las posibilidades que se les ofrecían, prefirieron separarse para siempre.

"La fecundidad no es para la Biblia una realidad meramente biológica. Los hijos son fruto de la bendición de Dios. La bendición es el poder de Dios en la historia y en el futuro. La bendición prosigue en la promesa a Abraham de la descendencia (Gén 12, 2; 18, 18; 22, 18). Dios pone el futuro del pueblo y la existencia de la humanidad en las manos del hombre y de la mujer"[17]. Este dato es fundamental, porque le abre el camino a todos aquellos que, por distintas razones, no pueden tener hijos. Ellos no pueden sentirse frustrados ni olvidados de Dios. Tienen que entender que también para ellos está abierta la propuesta de dar vida.

Sin duda, la primera opción para aquellos que no pueden tener hijos biológicamente es la adopción. No pueden concebir hijos con su útero, pero los pueden concebir con el corazón. Pueden tomar la decisión libre y consciente de darle acogida, protección, amor a un niño que no tiene padres. Es un camino que tenemos que valorar y vivir sin ningún tipo de miedo. Esta opción de dar vida es fruto de una decisión que nace de la conciencia de su limitación pero, a la vez, de la conciencia de sus posibilidades: "no puedo tener un hijo biológico pero sí puedo entregarle todo el amor que hay en mi corazón a un hijo que puedo elegir". Para el creyente todas estas decisiones son tomadas por Dios, y por eso confía en Él y en su generosidad.

Conozco experiencias de adopción muy felices, en las que los padres le han hecho saber desde siempre a ese ser que es hijo de su amor y no simplemente de su biología. Son experiencias en las que el hijo se siente dichoso de experimentarse amado, reconocido, valorado, acogido y ayudado a dar lo mejor de sí mismo. Recuerdo una familia en la que con mucha ternura le preguntaban a la bebé: "¿Quién es la bebé adoptada más linda del mundo?", para que

---

17   *Ibíd.*, p. 27.

desde siempre tuviera claro que su condición de adoptada no la hacía menos que nadie sino que la hacía una persona muy amada.

También puede pensarse el dar vida como la capacidad de cada miembro de la pareja para ayudar al otro a realizarse y como el poder construir muchas cosas juntos. Es decir, entender el dar vida como una experiencia que va más allá de lo físico o del tener o no tener hijos. La fecundidad de una pareja no se reduce a la experiencia de ser papás sino que se expresa en la experiencia de ser cocreadores del mundo.

Sí, se dan vida el uno al otro cuando luchan con todas las fuerzas de su ser para ayudar a que el otro se reafirme en la conquista de sus objetivos y logre sentirse feliz de lo que hace. Se dan vida cuando son capaces de rebasar los límites egoístas de sus intereses y de vivir a favor del otro. Se dan vida cuando todas las cualidades y virtudes de uno están al servicio del otro para que puedan vivir felices su vida. Nada mejor que entender el dar vida como el tener como meta que la pareja sea feliz.

También se puede entender el dar vida como el juntarse para lograr realidades que se le escaparían a cada miembro de la pareja si la lucha fuera singular. Son dos seres que luchan por construir un proyecto que los arropa, que los explica y que los hace felices. Dan vida cuando pueden mostrar las creaciones que su amor ha generado en la vida diaria. Dan vida cuando ese "nosotros" se hace el sujeto de tantas empresas y de tantas tareas realizadas. Dan vida cuando juntos son capaces de ayudar al que necesita y cuando muestran todo su amor en la misericordia con el que está empobrecido o golpeado por la vida.

En este contexto, dar vida es mucho más que procrear. Es darle sentido a la vida del otro, es construir felicidad y vivirla plenamente. Dar vida es una manera de mostrar que son felices y que eso lo pueden compartir con todos aquellos que estén a su lado.

Tengo ejemplos de muchas parejas que en un trabajo de voluntariado o de apostolado manifiestan toda la vida que pueden dar. Recuerdo mi experiencia en el "Encuentro de novios", con parejas que dedicaban algunos fines de semana a preparar a los que iban a celebrar el sacramento matrimonial. Ellos sacaban tiempo y se entregaban en un servicio que bendecía a todos aquellos que participaban. Eran momentos en los que yo podía constatar cómo el amor es capaz de desbordarse en servicio dador de vida para los demás. Lástima que vivimos en una sociedad hedonista en la que hay una continua invitación a no tener en cuenta al otro y a dedicarse en soledad a llenar el propio pozo para luego tratar de beber en soledad de él. Se invita a las parejas a que solo piensen en ellas mismas y a que por nada del mundo salgan de sí a entregar vida a los demás, pasándoles lo mismo que al Mar Muerto, que al no compartir el agua que recibe del Jordán ve como esta se descompone y se pudre, algo bien distinto al lago de Galilea que recibe y da agua al río Jordán y se mantiene lleno de vida.

Las parejas se casan para dar vida, para comprender que Dios les ha pedido que sean partícipes de su creación siendo artesanos de seres humanos plenos, a través de tener hijos, educarlos en el amor —para que sean capaces de amar y de dejarse amar— y ayudarlos a aprender a ser auténticos seres humanos, libres y responsables. Pero también para comprender que tienen que trascender e ir más allá de los diques que el egoísmo impone y que lleva a fecundar una sociedad estéril que necesita de la semilla del amor para poder ser cada día más acogedora.

LAS PERSONAS SE CASAN PARA CONSTRUIR UNA VIDA CON SENTIDO

Los seres humanos se casan con las personas que aman para compartir la felicidad que tienen en el corazón y que se multiplica en el encuentro con el otro. Son felices y quieren compartir esa felicidad en una relación que los realice. Han encontrado que la felicidad se multiplica en el encuentro íntimo, en el diálogo cotidiano, en el compartir de gustos, en el soñar agarrados de la mano, en el poder despertar juntos luego del apacible sueño o de una terrible pesadilla y saber que están el uno para el otro.

No se puede tolerar que el matrimonio se entienda como una cruz o se le describa como lo peor que puede pasar. No se puede dejar que las mentiras se cuelen a través de chistes que parecen inocentes pero son capaces de avinagrar la vida de pareja. Es necesario tener claro que la relación de pareja no es mágica, que no cambia a la gente con un chasquido de dedos, no asegura que no haya problemas ni trae mariposas que con sus colores adornen la vida. Pero también hay que dejar claro que es el espacio para compartir felicidad y disfrutar la cotidianidad con la seguridad de que hay alguien dispuesto a dar la vida porque el otro esté bien, que hay alguien dispuesto a luchar por quitarle los sufrimientos que quiera. Hay que enfatizar que se puede volver a renovar la entrega a esa persona desde la firme decisión de dedicarse a encontrarle todas esas virtudes que la hacen preferida a pesar de sus defectos.

El matrimonio es un espacio de felicidad. Hay que ser feliz, hay que disfrutar la vida y querer compartir todo lo que se tiene. Es posible ser feliz siendo esposos y se puede llegar a viejos agarrados de la mano y ayudándose a vencer las debilidades que la vejez desnuda. Es necesario creer que es posible y luchar por realizarlo.

Lástima que nuestra sociedad haga cada día más de las separaciones, de las rupturas dolorosas, el ideal de la vida matrimonial. Todavía me resuenan en mis oídos las palabras de un hijo que conversaba con su mamá y ante la pregunta de esta de cómo se veía en 20 años, es decir, cuando tuviera la edad de su papá, respondiera: "Separado y reiniciando la vida con una jovencita". Solo pude sonreírme, pero me dolió que el ideal de vida fuera casarse, separarse y volverse a juntar con alguien más joven. No es que no pueda suceder y lo entiendo cuando sucede, pero no puede ser el ideal de nuestros jóvenes.

No falta el que me tilde de romántico y se burle de mí por creer que la gente puede sostener la decisión de amarse eternamente y hacer que ya no sean los impulsos del deseo físico y sexual los que los lleven a compartir la vida, sino que sea el compartir la vida con la mejor de las actitudes el que los lleve a una sana relación genital. Seguro soy un demente dinosaurio humano porque todavía creo que las relaciones genitales presuponen una relación, un futuro, un sentido, y no solo el estallido de un orgasmo ciego y efímero.

No son pocas las parejas que han encontrado en el matrimonio un espacio para construir sentido en sus vidas y que, por eso, venciendo todos los vientos y surfeando todas las mareas, han podido estar juntos y gozarse el uno al otro. Me emociono cuando presido celebraciones eucarísticas en las que algunos amigos se renuevan el amor que han decidido tenerse contra toda adversidad, y han decidido que su encuentro sea siempre fecundo en la felicidad que se comparten. Disculpen que ponga de nuevo de ejemplo a mis papás, que no son perfectos ni son la Sagrada Familia, pero que sí viven dichosos, amándose, ayudándose, soportándose en las debilidades que tienen y que, ahora, en la vejez, se hacen más notorias, y bailando con alegría porque durante estos últimos 49 años han vencido tantas dificultades del uno y del otro, de los dos juntos y de los que estamos a su alrededor.

Entiendo, también, que cuando el matrimonio no es un espacio para compartir sentido y más bien se ha vuelto un espacio para el absurdo, la náusea y el dolor, se tenga que tomar la decisión de separarse y acabar la relación. Pero creo que siempre debe ser el último paso, luego de luchar una y otra vez por tratar de salvar la relación y hacerla vivir un nivel de realización más alto; y creo, también, que esa separación debe hacerse desde la inteligencia, desde la serenidad y no desde el impulso ciego y violento de la ira y el egoísmo.

El relato bíblico expresa esta construcción de sentido diciendo: "Llenad la Tierra y sometedla" (Gén 1, 28) y "Tomó, pues, Yahvé Dios al hombre, y lo puso en el huerto del Edén para que lo labrara y lo guardase" (Gén 2, 15). El segundo texto nos deja claro cuál es el sentido del mandato divino: ser cuidadores de la Creación. El narrador bíblico la usa en función de su proyecto cultural pero a la vez la contempla como manifestación de su Creador. No se trata de depredarla sino de aprovecharla y a la vez cuidarla.

Dios quiere que seamos felices pero no que destruyamos a los otros ni a la Creación. Los demás y la Creación se nos han dado como un regalo, como un don que nos lleva al Creador y no que nos retiene en nosotros mismos. Por eso queremos contemplar tanto a los demás como a la Creación y ayudar a su realización. No son recursos desechables que usamos y botamos. Vivir así siempre nos llevará a la destrucción y al vacío existencial.

La relación de pareja tiene que inscribirse en medio de esa tarea: como un espacio de felicidad, de encontrar sentido, pero a la vez espacio de contemplación de todo lo que Dios nos ha dejado y que quiere que gocemos. Se trata de velar, con la ayuda de Dios, para que todo marche según su voluntad.

Ese sentido no se encuentra en el encerramiento de los propios intereses y deseos. El ser humano tiene que abrirse al otro para encontrar ese sentido, por eso la pareja, como espacio de encuentro, es propicia para encontrar la dirección, el significado y el valor mismo de la vida. La pareja es el resultado de la apertura del hombre a la mujer, del disponerse a comunicar en plenitud todo lo que ambos son y quieren ser. Y a su vez la pareja se abre a la experiencia de los hijos y del dar vida, y al mundo en general que siempre se presenta como un interlocutor presente. No se trata del sentimentalismo autocomplaciente sino de la apertura al otro para construir con él la vida con sentido.

Sin esa apertura no hay realización de sentido. Por eso se tiene que luchar en la pareja porque haya una auténtica comunicación. La pareja debe entender que solo en el compartir sincero, simple y solidario puede encontrar la vida en plenitud. Sin esa apertura todo se vuelve dificultad y problema.

La sexualidad tiene que ser entendida en este contexto de apertura y comunicación. No se trata de un ejercicio individual mediante el cual se usa al otro para obtener placer, sino de la donación y entrega de alguien que quiere comunicarse plenamente con quien ha elegido para compartir la vida. La sexualidad no se puede entender simplemente como un ejercicio genital sino como la expresión de la afectividad toda, que supone relacionarse desde el género. No se puede reducir esta dimensión a un ejercicio genital centrado en el egoísmo de alcanzar el máximo placer.

Hay que evitar las miradas moralizantes que quieren hacer de la sexualidad, y en especial de la genitalidad, algo sucio y malo, como si Dios nos hubiera creado asexuados. Hay quienes creen que para poder vivir a la manera de Dios hay que despojarse de nuestra condición humana para ser lindos ángeles sin sexo y sin pasiones – como si se pudiera vivir sin pasión. Hay quienes viven luchando por evitar que la gente pueda disfrutar un orgasmo en su vida matrimonial y, tal vez con algo de envidia, prefieren verlos tristes y agobiados más que felices de poder darse amor como una pareja bendecida por Dios. Son neofariseos que quieren poner a los hermanos los fardos pesados que ellos mismos no son capaces de llevar (Mt 23, 4).

Una pareja que quiere vivir una vida con sentido debe tener una excelente vida sexual, en la que no haya miedo al placer compartido, viviéndola en dignidad, respeto y libertad. Nadie está obligado a hacer lo que no quiere hacer ni a sentirse esclavizado por los deseos de los otros. Para que haya realización y una vida con sentido se necesita compartir libre, generosa y respetuosamente. Esa sexualidad sana y realizadora será la que empuje a los miembros de la pareja a ser dadores de vida y a derramarse en bendiciones para los demás. Como no creo que puedan compartir felicidad quienes no la tienen, nadie puede dar de lo que no tiene.

A veces con lecturas literales de la Palabra de Dios o con una moral construida sobre el maniqueísmo o el platonismo, se trata de castrar a las personas y hacerlas vivir unas relaciones de pareja frías, estériles, incapaces de compartir vida, de vivir la creatividad y cerradas a la realización. Si se desprecia la dimensión afectiva, sexual, del ser humano, este no podrá sentirse pleno. La felicidad pasa también por la realización de todas las dimensiones del ser humano, entre ellas la emocional, la afectiva, la sexual. No se puede ser feliz sin una vida sexual sana. En la época de las caricaturas sexuales, de la distorsión de la genitalidad, vale la pena volver a insistir en la necesidad de aprender a amar, ya que es el amor el que le da sentido a todas las demás experiencias.

El límite es la dignidad y la libertad de la persona. Y tenemos que ser capaces de aprender a hablar, a analizar, a compartir estos temas sin ningún miedo, y saber que el respeto no es creernos ángeles asexuados que no se atreven a gozar por miedo al infierno, sino vivir como seres humanos sexuados que entienden que la sexualidad es un don de Dios que permite la realización en pareja y encontrarle sentido a todo aquello por lo que sus miembros están luchando.

Dios nos ha dado la sexualidad para que seamos felices. No es un castigo ni una tentación que tengamos que estar conteniendo ni despreciando, sino un don que tenemos que saber aprovechar según el proyecto de vida que hayamos elegido, ya que sin proyecto de vida todo carece de sentido y termina agotado en lo efímero de lo humano, que siempre tiende a hacerse obsoleto.

Quiero dejar claro que cuando se habla de castidad al interior de la vida sexual de una pareja no se habla de abstención o de una vida acomplejada que no disfruta la relación sexual, sino de una experiencia sexual basada en el respeto y la dignidad del otro. La castidad es ser feliz teniendo una sana vida sexual que no ofende, denigra ni usa al otro.

No es de extrañar que una sociedad que ha hecho de la genitalidad el centro de sus fuerzas, y que proclama el hedonismo como el valor más importante, genere personas que tienen muchos problemas para poder vivir una sana vida sexual. ¿Cuántas parejas se han destruido porque han vivido la genitalidad como una experiencia egoísta, de posesión, de esclavitud, de uso y maltrato del otro? ¿Cuántos hombres y mujeres hay frustrados porque no han podido tener una sexualidad de pareja que los realice y los haga sentir tan valiosos como son?

Solo en la provocación de una vida sexual sana podrá estar el dique que contrarreste y enfrente a este movimiento, que desde una falsa libertad y desde una dicotomía del ser humano —que estima que solo es el cerebro el que nos define, sin importar nuestro ser corporal— quiere distorsionar la sexualidad y reducirla a una vida genital sin sentido, sin futuro, sin compromiso, solo marcada por el placer momentáneo. El acto sexual sin proyecto de vida, sin mañana, sin futuro, termina siendo un ejercicio físico que nos hace perder algunas calorías, que compromete el sentido y que no nos realiza sino que nos esclaviza.

Me imagino a más de uno preocupado y formulando críticas fuertes contra mí porque hablo de estos temas siendo presbítero, como si yo fuera un asexuado que desconoce la centralidad de la sexualidad en la vida y no, como lo que soy, uno que ha decidido ser célibe por amor al Reino de los Cielos (Mt 19, 11-12). No le tengamos miedo a vivir a plenitud nuestra sexualidad; tengamos claro que si no es sana, termina siendo una tragedia de la cual queremos irnos rápido.

Ahora bien: el sentido también va más allá de la apertura, de la sexualidad sana, y se inscribe en tener un proyecto de vida claro. La vida de pareja debe permitir que sus miembros tengan claro hacia dónde van como individuos y como pareja. El sentido siempre es una experiencia personal que se comparte con otros. Por eso, en la relación de pareja se trata de que cada miembro tenga claro lo que quiere para su vida y que ese sentido sea compartido por la pareja a través de un proyecto que lo realiza.

La dirección, esto es, el "hacia dónde", es fundamental para vivir. Cuando no se tiene claro para donde se va, se puede tomar cualquier camino, como le insistía el conejo a Alicia en el país de las maravillas. Pero el significado, es decir, saber cuál es la razón que impulsa a la pareja, es fundamental para poder gozar la vida. Nada peor que no entender ni el porqué ni el para qué de la vida misma. Todo esto teniendo claro el valor que se tiene, sabiendo quién se es y la dignidad que se tiene.

La relación de pareja tiene que ayudar a sus miembros a ubicar bien su proyecto de vida. Son dos que construyen los tres proyectos de vida que están allí: el tuyo, el mío y el nuestro, que, está implícito, son simultáneos, coinciden pero se diferencian claramente. Una vida de pareja en la que sus miembros no contribuyan mutuamente a encontrar la razón de ser de todo tiende al fracaso y al aburrimiento, que es uno de los logros de la rutina.

Me emocioné con una pareja en la que la mujer trabajaba doble turno para que su esposo pudiera hacer la especialización que necesitaba. Ella no tenía miedo de tener pocas horas de sueño porque sabía que si su marido se preparaba aún más sería mejor ser humano, mejor papá y mejor esposo. Con ironía, y conocedor de casos anteriores, yo le decía al esposo que ahora que terminara dejara a su esposa y le diera a otra todo lo que pudiera conseguir con la nueva especialización. Él abría los ojos como sin entender lo que yo le decía; y simplemente volví a insistirle en que ese esfuerzo que ella estaba haciendo merecía de él todo el agradecimiento, todo el compromiso, toda la fidelidad y el esfuerzo de ayudarla a realizarse también como mujer y como esposa. Espero volverlos a encontrar y verlos felices, porque la vida tiene sentido para ambos y la comparten felizmente.

Se trata de construir comunidad, de establecer relaciones íntimas que permitan que las debilidades se puedan asumir en conjunto y que las virtudes se puedan potenciar en el ejercicio del compartir. No se trata de vivir juntos por vivir juntos; se trata de ayudarse en lo más importante de la existencia que es el sentido, el "hacia dónde", el significado de la vida, el valor de la existencia. Se construye comunidad cuando se da este compartir de sentido.

TEST

Verdaderas motivaciones para casarse

Instrucción: Escribe en cada punto 3 cosas que tú y tu compañero(a) ya están haciendo y 3 que deberían hacer para cumplir con los propósitos que hemos expuesto.

- **Nos casamos para complementarnos**
  Ya estamos...

1. _____

2. _____

3. _____

   Deberíamos...

1. _____

2. _____

3. _____

- **Nos casamos para crear sentido en nuestra vida**
  Ya estamos...

1. _____

2. _____

3. _____

   Deberíamos...

1. _____

2. _____

3. _____

- **Nos casamos para dar vida**

  Ya estamos...

  1. _____

  2. _____

  3. _____

  Deberíamos...

  1. _____

  2. _____

  3. _____

Capítulo 5
Dinámica sacramental del matrimonio

En el contexto de la teología cristiana, el matrimonio es un sacramento, es decir, una realidad visible, material, humana, que hace presente la realidad invisible, sublime y divina de la gracia de Dios. En el amor del hombre y la mujer se expresa el amor de Dios por su pueblo. Pudiéramos decir que quien ve a una pareja amándose y construyendo la vida desde la entrega debe ver la acción de Dios a favor de su pueblo. El matrimonio como sacramento es un regalo de Dios a su Iglesia para que los fieles sigan descubriendo su gracia en medio de sus luchas diarias.

En este sentido, el matrimonio, para los creyentes, es mucho más que un contrato, una sociedad. Es un pacto que expresa la alianza de Dios, en su amor infinito, con los hombres. Por eso al tratar de entender cómo debe ser la dinámica de los miembros de la pareja que se aman y viven como esposos hay que ver la exigencia que la Revelación de Dios nos ha mostrado en la Biblia.

Estoy seguro de que en la verdad bíblica se hace presente todo un itinerario para que los hombres y mujeres que deciden celebrar el sacramento del matrimonio vivan, desde actitudes muy concretas, su relación, puedan realizarse y ser felices. No se trata de "palabras mágicas" que resuelven las situaciones rápidamente ni acciones metafísicas que hacen que todo cambie en un abrir y cerrar de ojos. Se trata de motivaciones muy concretas que exigen compromiso, sacrificio, esfuerzo, generosidad y mucha entrega. Es un itinerario para recorrer. Por eso a quienes están en proceso de casarse les deja claro los límites y las posibilidades que hay que tener presentes, y a quienes están casados —y viven su relación matrimonial— los hace revisar y renovar sus compromisos, y dejar a un lado las actitudes que vayan en contra de lo que el mismo sacramento pide.

El análisis tiene que ser una oportunidad para tratar de revisar la relación matrimonial que estás llevando y buscar la manera de mejorarla. Estoy convencido de que siempre se puede tener una mejor relación. Me gusta entender la dinámica sacramental de la vida de los esposos desde las palabras bíblicas[18]: "Por esto *dejará* el hombre a su padre y a su madre, y se *unirá* a su mujer. Y los que eran dos, *serán hechos* una carne: así que no son más dos, sino una carne. Pues lo que Dios juntó, no lo aparte el hombre" (Mc 10, 7-9).

Más allá de los contextos sociales y culturales en los que el texto fue escrito, es preciso señalar que el sacramento del matrimonio guarda toda coherencia con el proyecto de Dios revelado desde el Antiguo Testamento. De hecho, es una cita que el evangelista Mateo (19, 5) hace del libro del Génesis (2, 24). En ella se vuelve a dejar claro que el matrimonio está en el plan de Dios. Para tratar de comprender cuál es la dinámica, la manera de vivir el matrimonio, quisiera centrarme en las tres formas verbales del texto: "dejará", "unirá" y "serán hechos".

---

18   En otro momento de la vida hice una aproximación a este texto que publiqué en *Orando y viviendo en parejas,* Bogotá: Editorial Librerías Minuto de Dios, 2012, y que ahora amplío con toda la experiencia y el estudio vivido y realizado.

"DEJARÁ"

La experiencia de la relación de pareja nace de una decisión libre y consciente de quererse unir a otra persona. No puede haber ninguna coacción o ninguna imposición. Es una decisión que nace de un corazón libre, que luego de entender que esa es la persona con la que prefiere construir su proyecto de vida decide pedirle que viva con él para el resto de la vida. Este tema de la libertad es tan importante, que sin ella no hay verdadero sacramento. Por eso una de las preguntas que se hace en el interrogatorio previo al consentimiento en la celebración del matrimonio es: ¿Viniste con plena libertad a celebrar el matrimonio mediante el sacramento? Por eso es necesario que se tenga claro que se quiere estar con esa persona y que no hay nada que obligue a hacerlo. Es la realidad que devela el título de nuestro libro: "Si estás enamorado, no te cases", ya que en el estado de enamoramiento no hay verdadera libertad.

Al tomar la decisión de casarse es necesario tener claro que se deben hacer unas renuncias muy concretas para poder vivir la relación matrimonial. Toda decisión implica renuncias. Cuando elijo esta opción estoy descartando otras opciones. Eso no lo podemos soslayar, ya que hacerlo nos puede llevar a tener muchos problemas a la hora de concretar nuestra decisión. Es más, pudiéramos decir que no hay amor sin renuncia. Optar por esta persona y no por otra es ya una renuncia. Así como la decisión se toma en un ejercicio de libertad consciente también hay que ser consciente de las renuncias que esa opción exige: "Te elijo a ti y renuncio a todas las demás. Quiero vivir contigo el resto de mi vida y eso me hace marginar a todas las demás como posibles parejas para compartir la vida. No es algo que me impongas tú, sino que me impone la misma condición de la decisión que he tomado". Es decir, las renuncias forman parte de la decisión misma de casarse. ¿Qué motiva esa renuncia? ¿A qué se renuncia? ¿Cómo se realiza esa renuncia? Estas son preguntas que nos pueden ayudar a entender mejor la situación. Trabajemos en ellas.

¿QUÉ MOTIVA LA RENUNCIA?

Sin duda, el amor y la felicidad que se obtienen cuando se vive a plenitud. Sentir que amas verdaderamente a esa persona y que ella te ama y quiere compartir contigo el resto de la vida motiva mucho, así como que, a pesar de sus defectos y errores, sabes que ella es la compañera que requieres para seguir construyendo tu vida. Sabes que puedes ser feliz solo, pero prefieres serlo al lado de ella. Entiendes todo lo que ella aporta a tu vida y cómo te hace vibrar en las búsquedas existenciales que se tienen. Has medido bien todo lo que ganas con tenerla a tu lado y todas las perdidas —renuncias— que tienes que hacer, y entiendes que lo mejor es vivir con ella. Debe existir una clara favorabilidad al estar con ella que al quedarte solo.

Te motiva todo: los momentos agradables que pasas a su lado, el saberte acompañado por ella en las luchas diarias, el sentir que puedes compartir tus alegrías con ella y ver cómo estas se multiplican, el sentirte seguro en sus brazos, las palabras de ánimo mientras vives los momentos más complejos y difíciles de la vida. Te motiva ver cómo con ella hay tantas coincidencias en la manera de ver el mundo y sientes que es una buena cómplice para seguir dando la batalla. Te motiva saber que sus errores y dificultades no son una muralla que los separa, sino oportunidades de aprender a comprender mejor la vida misma. Te motiva la ilusión de ser feliz al lado de esta persona.

Por lo tanto, no es una renuncia hecha a empujones, ni una renuncia obligada por no tener más posibilidades, sino una renuncia hecha desde la apuesta de ser más feliz con lo que decides y quieres para tu vida. Siempre recuerdo las caras de los esposos al responderme esta pregunta en la celebración matrimonial: es un rostro emocionado, ilusionado, que en la brillantez de los ojos expone toda la fuerza que se le está haciendo a esta decisión.

Renuncias motivado por la felicidad que se va a construir junto con la otra persona. Renuncias seguro de que lo que vendrá será mejor a su lado que solo. Eres consciente de aquello a lo que renuncias, pero lo haces con firmeza, con seguridad, con atención y con todo el compromiso de hacer de esa decisión una decisión permanente. Hay que evidenciar las motivaciones, tenerlas presente y saber que son ellas las que impulsan las renuncias que realizas.

Vale la pena que si te vas a casar hagas un listado de esas motivaciones. Que las enumeres y trates de asumirlas conscientemente. No te puedes casar con los ojos cerrados, ni puedes dejar que la vida te lleve a donde no quieres. Tienes unas motivaciones muy claras por las que te casas y no puedes entrar en dudas frente a ellas. Ahora, si ya estás casado y sientes muy pesadas esas renuncias, trata de recordar lo que te motivaba y entender lo que ha pasado con esas motivaciones: ¿por qué no están vivas hoy?, ¿qué errores se cometieron y qué se puede hacer para que las motivaciones vuelvan a desempeñar su papel y te jalonen la vida matrimonial? Estoy seguro de que esas motivaciones se pueden revitalizar: no se puede creer que ya todo está terminado y que no vale la pena seguir adelante. Siempre se pueden encontrar soluciones y transformar las realidades interiores.

Muchas veces, cuando he presidido el sacramento del matrimonio de alguna pareja, he insistido en que esa decisión es para toda la vida y les he dicho a los novios que pueden echarse para atrás en la decisión si no se sienten seguros de ella. Afortunadamente siempre me he encontrado con el "sí" de la pareja, que dice querer continuar porque cree que todo es claro y firme. Tener clara la motivación que se tiene para decidir en ese momento es muy importante para que la relación no comience mal.

Por eso me parece contraproducente que las parejas estén en esa nebulosa del enamoramiento al momento de decidir, pues lo importante es que ambas partes tengan los pies en la tierra y sepan que hay muchas virtudes que los impulsarán en las relaciones y algunos defectos que generarán situaciones complejas las cuales deben ser solucionadas con paciencia, tolerancia, inteligencia y amor. No se trata de una motivación ciega nacida en la hiperidealización de las personas, sino en una motivación que nace en la realidad, en saber quién es la otra persona y aceptarla como alguien fundamental.

Insisto en que no debemos dejar que los chistes en contra del matrimonio se hagan muy comunes en nuestro ambiente, porque generan un aura dañina, que no permite motivar, sino que, al contrario, desmotiva. Cuando las motivaciones no son claras, las renuncias no están firmes, y entonces las separaciones se dan por cualquier razón, por ridícula que sea.

¿A QUÉ SE RENUNCIA?

Sin duda, renuncias a todo egoísmo e individualismo que no te permita compartir la existencia con otra persona.

No renuncias a tu personalidad, a tu singularidad, a tu esencia, pero sí renuncias a creer que en tu vida todo gira en torno a ti. No se puede vivir una relación matrimonial si crees que eres el centro de todo y que nadie es más importante que tú. Tras la ceremonia de matrimonio, en tu vida ya hay otra persona importante, que debes tener en cuenta.

Renuncias a querer seguir viviendo la vida en clave de "soltería". No puedes pretender construir una relación de pareja si no has decidido vivir la vida en clave de dos. El otro cuenta y es importante. A partir de ahora tus nuevas decisiones tienen que contar con él. El otro no es una cosa o un objeto que mueves según te dé la gana, sino que es una persona con sus propios deseos, sus propias capacidades y que merece ser tenida en cuenta. Debe quedarte claro si decides casarte que tu tiempo de soltero ya ha pasado y que, a partir de ese momento, tienes unos compromisos muy serios con la persona con la que has ido al altar. Nada peor que un casado soltero, es decir, un casado que tiene costumbres y actitudes de soltero. El tiempo de casado ahora lo compartes con tu pareja. Tus proyectos tienen una dimensión común que no puedes olvidar.

Si antes decías: "mi casa", "mi carro", "mi cama", "mi vida", ahora dices con serenidad y mucha propiedad: "nuestra casa", "nuestro carro", "nuestra cama", "nuestra vida", expresando con ello que entiendes que ya la vida no depende solo de tus decisiones e intereses sino que debes tener en cuenta los de tu pareja. Lo que antes era tuyo simplemente ahora comenzó a ser de ambos. Donde más se presentan dificultades es en la manera de ocupar el tiempo. Muchos casados se comportan como solteros, malgastando el tiempo con amigos, disfrutando solos de sus placeres y olvidando que su pareja quiere salir con él para que compartan juntos la vida.

No son pocos los casos en los que esa actitud de casado soltero ocasiona que se genere mucha distancia entre los miembros de la pareja, porque organizar la vida como soltero obliga a descuidar a la pareja. Por eso se hace necesario que seas consciente de que hay muchos elementos en común con tu pareja y que se van a compartir para seguir juntos y hacer que estar uno al lado de otro sea gratificante.

No faltan los seres humanos que se casan pero siguen viviendo la vida en sus propios términos. Creen que primero están ellos, segundo ellos y tercero ellos. No hay ningún espacio para su pareja. Esto termina generando dificultades serias que seguro van a ocasionar una ruptura. Nadie quiere ser un apéndice de nadie, ni en su sano juicio, por lo menos en nuestro contexto cultural, quiere compartir a su pareja con ninguna otra persona.

Por momentos la situación se hace más difícil porque uno de los miembros de la pareja que quiere tener los derechos del casado con los deberes del soltero. Esto es, lo que implique placer y diversión se vive como soltero, y lo que implique trabajo, sacrificio, esfuerzo, se vive como si estuviera casado, es decir, los comparte. Eso termina generando una relación muy artificial que se rompe en cualquier momento y por cualquiera tensión que se dé. Insisto: nadie quiere ser esclavo de otro, ni tener que asumir una actitud de sumisión ante alguien que solo quiere gozar la vida y no tener en cuenta sus deberes con la persona a la que ama.

Cuando una relación de pareja se inicia sin esta renuncia a la soltería, lo que se construye es una "sociedad" temporal y con fecha de vencimiento, ya que rápidamente alguno se va a aburrir de la relación y va a romperla. No tener a la persona en casa, no poder compartir con ella los momentos más importantes y tener que soportar experiencias de infidelidad son vivencias que lo único que logran es que el otro se aburra y decida romper la relación.

Sin esta renuncia no se podrá construir una relación de pareja que haga presente el amor de Dios, porque no habrá entrega total. Sin entrega total no hay relación amorosa de verdad. Es la apertura al otro, la entrega al otro, la que garantiza que haya una relación de amor de verdad. Hay que subrayar una y otra vez que quien se casa renuncia a su soltería y comienza a ver la vida en clave de dos.

¿Cuántas relaciones matrimoniales rotas hay por no saber renunciar? En mi ministerio presbiteral son muchas las situaciones que encuentro, porque la gente no sabe abandonar ese egoísmo y esa actitud de soltería. Por eso siempre les digo a las parejas que se han casado que tienen que asumir las consecuencias de su decisión de casarse. Ya no es tiempo de arrepentirse sino de lograr que la relación mejore y puedan ser felices.

La única razón que impulsa esta renuncia es el amor. Por amor se deja a un lado todo ese egoísmo e individualismo y se abre camino a una mejor relación de pareja. Pero para ello tienen que pensar mucho y no dejar que la vida se vuelva un actuar sin conciencia y claridad.

¿Cómo se realizan las renuncias?

Libre y conscientemente, como hemos dicho anteriormente. No hay imposiciones de ningún tipo y debe tomarse la decisión de vivir una relación caracterizada por la donación. Los dos miembros de la pareja tienen que entrarle a su vida desde la donación de la existencia. No hay amor si no hay donación del ser a la otra persona. Esa donación es la que permite que se pueda ser feliz con la otra persona. Es necesaria mucha apertura al otro: le muestras tu corazón, tu vida, tus sueños, tus planes; no debes tener miedo de dejarte ver tal cual eres. Es la entrega del consentimiento, que es el que asegura que el matrimonio sea fecundo.

Estas son palabras con un contenido que tenemos que entender y explicitar en nuestras relaciones, ya que la manera como estas se viven hoy en día en nuestra sociedad son una exacerbación del individualismo. Para que haya una buena relación se necesita apertura de espacios concretos al otro y dejar que el otro se nos adelante. Esto implica renunciar a cualquier postura de prepotencia, altanería y superioridad que haya en el corazón, a todo miedo a mostrarse vulnerable y a estar seguro de que solo conocerás bien al otro si te abres a su persona.

El amor es entrega, es donación. No habrá una buena relación de matrimonio si los miembros de la pareja se atrincheran en sus intereses egoístas y se niegan a derrumbar cualquier muro que los separe, a darse y entregarse al otro sin ningún miedo y con la motivación de ser cada día más felices.

Renunciar es asumir la condición del amor: donación, entrega, vida compartida. No se trata de negarte como un ser con características propias pero sí de entender que la prioridad está en la construcción de una relación sólida y gratificante. Abandonas el pensar que el mundo es para ti solo y entiendes que siempre es mejor disfrutarlo con alguien. Es asumir que amar es luchar por que el otro sea. Es entender que solo serás feliz si dedicas tu vida a hacer feliz al otro y asistes a su lucha por ser feliz.

Sin entender estas renuncias no habrá felicidad. Ningún casado soltero es feliz ni hace felices a los que están a su alrededor. Sin enfocarse y luchar por la vida de familia, esta terminará constituyendo un espacio en el que no se quiere

estar. Hay que hacer un esfuerzo por entender que la felicidad siempre se inicia con el darse y donarse a quien se ama.

"UNIRÁ"

Es claro que la razón de ser de la renuncia es unirse al otro.
Abandonamos nuestros egoísmos para compartir la vida
con otra persona. Nos negamos a la tendencia de encerrar-
nos en nuestros intereses para afirmar la posibilidad de
construcción de intereses comunes que nos realizan. Sali-
mos de nosotros mismos para encontrarnos con esa persona
con la que queremos construir unidad.

Esa unidad no es uniformidad. Los dos miembros de la
pareja no se funden en una realidad que los despersonaliza
y les quita toda su singularidad. Se esfuerzan por ser uno,
pero sin dejar de ser dos. Se juntan en una sola carne, pero
sin dejar de ser seres únicos e irrepetibles. Es una unión que
los fortalece y los realiza como personas. Les hace alcanzar
objetivos que solos no podrían alcanzar. Esta unidad, a veces, se expresa en semejanzas de las personas que forman la
pareja. Terminan pareciéndose en gestos, en manifestaciones, en actuaciones. De alguna manera es como si él estuviera en ella, y ella en él. Son muchos los ejemplos que tengo
de parejas que han llegado a un grado tan alto de unidad
que terminan pareciéndose y, de alguna manera, uno siendo
sacramento del otro. ¿Cómo se construye esta unidad? Considero que se requieren por lo menos tres acciones básicas:
conocer al otro, aceptar al otro y amar al otro.

Conocer al otro

No se puede hacer unidad con quien no se conoce. Es necesario que sepas lo que caracteriza al otro. Para ello necesitas

un análisis sereno, tranquilo y profundo. Es decir, tienes que relacionarte con el otro desde la realidad, desde lo que es. Este proceso de conocimiento mutuo es infinito. No puedes llegar a decir que ya lo conoces lo suficiente, porque siempre hay nuevas manifestaciones de la singularidad de esa persona.

Ese conocimiento supone lo físico, lo emocional y lo espiritual. Conoces todo su ser físico, sabes cómo es, cuáles son sus virtudes, cuáles son sus defectos. Conoces cada día más su historia emocional, sabes de sus reacciones, de sus maneras de resolver los conflictos, de entenderse con los demás, de la manera como celebra sus victorias y de las formas como enfrenta esos momentos de dolor y tristeza que todos tenemos. Conoces cuáles son los ideales y los valores que lo mueven, lo que lo hace trascender, cuál es su concepción de fe y cómo quiere educar a sus hijos. Sin ese conocimiento es muy difícil construir unidad. Este proceso de conocimiento asegura que no haya sorpresas en la relación y genera la confianza y la seguridad necesaria para la total apertura y donación.

Aquí la palabra clave es autenticidad. Necesitas que la otra persona se manifieste auténticamente y no trate de mimetizarse ni de esconderse en figuras, metáforas o mentiras. Conozco personas que no se han dado a conocer verdaderamente, que se han escondido tras relatos grandilocuentes y apariencias. Cuantas personas, después de casadas, se sorprenden al ver comportamientos en su pareja que nunca antes habían podido conocer. Si no estás seguro de que así es tu pareja, lo mejor es que no intentes construir una relación de mayor compromiso como el matrimonio.

Sí, necesitas un proceso continuo de conocimiento del otro. Nunca conoces plenamente al otro y por eso debes estar en total disposición de conocerlo en cada momento y en cada instante. Te debes abrir al conocimiento del otro y a dejarte conocer por él. No debe haber mentiras, ni máscaras ni miedo a ser descubierto por el otro, sino al contrario: debes hacer todo lo posible para que el otro te conozca — a la manera del combate amoroso de Karl Jasper, cuando afirma que combates con el otro no para ganarle sino para conocerlo y ser conocido, no para esconderte sino para que sepa quién eres. Esto supone una buena comunicación y todas las disposiciones necesarias para encontrarse tal cual son.

PREGUNTAS PARA REFLEXIONAR

- ¿Conoces lo suficiente a tu pareja?
- ¿Tienen un buen nivel de comunicación?
- ¿Comparten sin miedo lo íntimo de su vida?
- ¿Has visto actuar a tu pareja en ambientes distintos a los que comparte contigo?
- ¿Eres consciente de que esa persona que amas tiene actitudes y comportamientos que pueden no gustarte?
- ¿Sientes que no hay caretas ni máscaras en tu relación con esa persona que amas tanto?

ACEPTAR AL OTRO

Está claro que cuando nos lanzamos a la tarea de conocer al otro encontramos en su ser muchas características que nos gustan y nos emocionan, pero también otras que no nos agradan y que no nos gustaría que estuvieran allí. Pues bien, el que quiere construir unidad tiene que aprender a aceptar a las personas tal como son, con esas virtudes y realidades que te hacen suspirar y te emocionan, y a la vez con esas realidades que te hacen sufrir, pues eso viene en "combo". No se pueden separar.

Para poder hacer unidad es necesario tener claro lo que no te gusta de esa otra persona, lo que preferirías que no estuviera en su ser, para así poder decir que la aceptas y la valoras tal cual es. Aquí es importante tener claro que nadie te obliga a aceptar a esa persona ni que nadie te puede presionar para que convivas con algunas realidades, que en principio, te molestan. Por ejemplo: "No me gusta tu manera de desesperarte ante las situaciones adversas, pero acepto que eres así y prometo luchar para que mis actitudes te ayuden a estar más serena"; "no me gusta tu forma de expresarte cuando algo te molesta, pero aquí estoy aceptándote y ofreciéndote todos mis comportamientos para que no tengas necesidad de manifestarte de esa manera", o "no me gustan algunos de tus *hobbies,* pero entiendo que eres mucho más que esos gustos y estoy dispuesto a compartir la vida contigo, tal cual eres".

Ten la certeza de que si no hay algo que te fastidie de tu pareja es porque no la conoces o simplemente porque todavía la estás idealizando. Y al aceptar esas situaciones, no las estás compartiendo ni estás diciendo que estén bien, pero sí estás aceptando que forman parte de la persona que amas y con la cual quieres vivir hasta la eternidad. Es decir, aceptas que no son obstáculo para seguir juntos y construir la vida en común.

Insisto: al conocerse tienes que tomar la decisión de aceptarte con el otro tal cual son; como dije anteriormente, lo normal es que al conocer al otro haya realidades y características suyas que no te gusten, y es allí donde viene la aceptación, puesto que no puedes amar a una persona parcialmente, es decir, no puedes amar esta y esta cualidad, pero la otra no la quieres ni ver cerca de ti. Así no se puede amar. El amor implica al otro totalmente. Lo aceptas con todo lo que es. Necesitas mucho realismo al relacionarse con el otro. Necesitas tener los ojos abiertos y dejar a un lado la idealización que el "enamoramiento" presenta. Que quede claro: No amas a pedazos a la otra persona. La amas tal cual es.

PREGUNTAS PARA REFLEXIONAR

- ¿Conoces los errores y los defectos de tu pareja?
- ¿Cómo te comportas ante esos errores y esos defectos?
- ¿Son esos errores tan grandes o tan fundamentales como para que no los puedas soportar y sea mejor terminar la relación?
- ¿Eres consciente de que muchos de esos errores no van a cambiar sino que es posible que empeoren?
- ¿Estás seguro de que puedes tolerar esas manifestaciones de tu pareja?
- ¿Consideras que puedes ayudar a que esa persona cambie?
- ¿Esos errores ponen en riesgo tu dignidad personal?

AMAR AL OTRO

La relación de pareja tiene en el amor total su objetivo. Conoces y aceptas a la persona para amarla. Ese amor pasa por el deseo erótico, por la complicidad y por la donación total. Lo que te une a la pareja es esa disposición a entregarte totalmente al otro ser. No escatimas en ninguna precaución sino que vives con todas las fuerzas en función de él. Luchas por su felicidad y le sirves con plena disposición.

Amar es entender que de alguna manera tu felicidad está determinada por la felicidad de esa otra persona. Te interesa y la quieres ver feliz, por eso luchas para no hacerla sufrir. Ese amor es una realidad dinámica que tiene que ser alimentada a diario. No es una realidad estática, que permanece igual, pase lo que pase. No. Se trata de una realidad que se retroalimenta constantemente.

No puedes pretender que el otro te ama si sientes que está decidido a hacerte sufrir. No puedes pretender que tu amor siga incólume si él es egoísta y no quiere compartir nada contigo. No puedes pretender vivir en una relación ciega de amor cuando te maltrata, te ofende y te humilla. Tienes que cuidar el amor que sientes y que has decidido compartir. No es una realidad mágica sino una realidad que exige la entrega, la donación y el esfuerzo diario. Por eso exige sinceridad, respeto, solidaridad, apertura, excelente comunicación y otros tantos valores más. Ese amor se construye a diario a través de palabras, de gestos, de acciones. Es una realidad que debe ser comunicada constantemente. No se puede presuponer sino que hay que compartirla explícitamente a cada instante y a cada momento. Con seguridad el paso de los años le va dando a esa experiencia del amor características distintas pero no puede dejar de ser amor. Varían las manifestaciones para expresar ese amor, pero son claras.

Así se construye esa unidad, la cual está expresada en la Biblia con las palabras "los dos serán una sola carne", es decir, que los dos formarán un solo proyecto que podrán realizar con la fuerza que ambos tienen. Ese ser uno sin dejar de ser dos tiene que ser una experiencia realizadora, una experiencia que permite la obtención de los objetivos planteados. No es un ancla, por el contrario es un impulso cuando te descubres con otro compartiendo lo más íntimo de la vida y teniendo la certeza de que él quiere lo mejor para ti.

Solo desde ese conocimiento y esa aceptación se puede hablar de amor verdadero. Unirse supone en el texto bíblico que a la pareja la guía la reflexión en el proceso de amarse plenamente. Es este el amor que lleva a dar la vida por el otro (Jn 15, 13-14), amor que tiene su plenitud en el ágape (1Co 13, 1-13). Sin eso no hay verdadero amor, sino deseo, ganas de poseer, costumbre y miedo a la soledad. Es un amor que va de la atracción física a la decisión libre y consciente de darlo todo por el otro.

PREGUNTAS PARA REFLEXIONAR

- ¿Amas a tu pareja?

- ¿Sientes que la vida sin ella sería algo que te haría sufrir?

- ¿Estás dispuesto a dar lo mejor de ti para que ella sea feliz?

- ¿Te esfuerzas a diario por construir una relación seria, verdadera, gratificante y realizadora?

- ¿Cómo se expresan los dos todo el amor que se tienen?

- ¿Crees que es suficiente o que hace falta esforzarse para expresarse mejor todo ese sentimiento que tienen el uno por el otro?

"SERÁN HECHOS"

La vida matrimonial es un proyecto. La unión en pareja no es simplemente un punto de llegada sino también un punto de partida. Se unen en función de algo que hay que realizar, de algo que no está hecho sino que se tiene que fabricar con fuerza y con dedicación. Muchas veces el esfuerzo que se hace se acaba cuando se logra la conquista de la otra persona: se abandona toda esa actitud de preocupación, de atención, de querer hacer sentir bien a la otra persona, y se pasa a una relación donde predomina la rutina, garantía del fracaso de la relación.

Insisto: vivir en pareja, vivir el matrimonio, es una experiencia en construcción, por lo que se necesita toda la atención y todo el esfuerzo. Tienes que meterle todas las capacidades que tienes a este proyecto. No puedes pretender que este proyecto se realice bien con migajas de esfuerzo. La pareja merece toda tu atención, por eso se vuelven prioridad en tu vida ella y su parecer; merece toda tu comprensión, por eso sales de tus trincheras para captar lo que quiere y está diciendo; merece toda tu riqueza interior, por eso estás dispuesto a que conozca tu corazón y darle todo lo que tienes dentro.

Un proyecto que se realiza exige mucho sacrificio. Es decir, tienes que ser capaz de posponer muchas satisfacciones a cambio de hacer que la realidad funcione. Sin ese esfuerzo de dejar algunas cosas que te gustan por estar a su lado no hay matrimonio feliz. Nada se hace por sí solo; se necesita planearlo y organizarlo, y debes luchar por realizar todas las expectativas que tienes. Algunas veces habrá que ceder, otras veces habrá que llorar, otras harás silencio aunque te salgan letreritos por la boca. Sin ese sacrificio no hay nada que tenga valor.

Lamento que la expresión "hacer el amor" haya quedado reducida a lo genital, porque estoy seguro de que ese "ser hechos una sola carne" lo que está queriendo recordar es que el amor no está hecho y hay que hacerlo en la cotidianidad. En cada instante los miembros de la pareja tienen que preguntarse: ¿Está palabra, está acción hace crecer el amor?

Algún día le oí decir al padre Ignacio Larragaña que el amor no se muere sino que es asesinado cuando no se entiende que es una realidad viva que necesita ser alimentada, cuidada, para poder crecer. Tienes que ser consciente de que si no trabajas a favor de la relación, esta se va a ir deteriorando y pronto quedará muy poco de todo lo que habías construido con el otro.

Me impresiona mucho ver cómo algunas parejas que se amaban ardientemente, que compartían la vida con pasión, hoy están engarzadas en una relación fría, estéril, insípida. Siempre me pregunto qué pasó, y cuando analizo con detenimiento la situación, me doy cuenta que se les olvidó alimentar la relación, que ambos creyeron que con el sí de la boda bastaba y no construyeron con amor, caricias, buena comunicación, acciones bondadosas y serviciales. Eso los llevó a ese desierto en el que se encuentran.

Esta forma verbal del "ser hechos" nos muestra que es un proyecto que tiene que construirse en clave de voluntad de Dios. La centralidad de Dios en la vida de una pareja que ha celebrado el sacramento del matrimonio genera valores, actitudes y acciones muy concretas para construir ese proyecto de manera exitosa. Quienes creemos estamos seguros de que Dios actúa en el corazón de los hombres y desde allí los lanza a realizar, con su ayuda, la voluntad que ha revelado en la persona de Jesús.

La metáfora que usa el relato para expresar la unidad que debe haber entre los dos miembros de la pareja es hermosa: llegar a ser una sola carne. Es la expresión más sublime de la unidad. Ser una sola carne implica ser un solo ser, en posibilidades y en limitaciones, en capacidades y necesidades. Insisto, es ser uno sin dejar de ser dos. Se trata de complementación, de unidad, de encuentro, de entrega, de asumirse como un solo ser, sin negarse a vivir sus singularidades. Es lo que diría el poeta Benedetti: "Tú y yo somos otro". Es aquí donde se entiende que sea para siempre, que sea indisoluble, porque cuando se tiene esa gran compenetración no hay posibilidades de división sin destrucción de los seres.

Pero ese ser una sola carne no es mágico, es el resultado de todo un esfuerzo de abrirse al otro, de donarse en cada situación, de asumir que solo se puede ser feliz en la co-construcción de la vida con otros. La tarea es ser una sola carne. Estar tan unidos que nadie pueda separarlos. Porque lo que Dios ha unido no lo puede separar el hombre.

Asumirlo como un proyecto supone que los dos miembros de la pareja sean capaces de entender las dificultades y los problemas que van a tener que vivir juntos. Es un viaje en el que seguramente tendrán momentos de terreno llano y otros de terreno pedregoso. Y tendrán que seguir adelante siendo felices, aún a pesar de esos momentos duros que tienen que vivir. Es aceptar el desafío de luchar por tener una relación que les permita estar satisfechos y realizarse.

NO DEJAR ACABAR EL VINO

A las tres formas verbales que he trabajado en este capítulo me gusta agregarles una imagen elocuente que trae el relato de las bodas de Caná (Jn 2, 1-10).

"Al tercer día se celebró una boda en Caná de Galilea, y la madre de Jesús se encontraba allí. También habían sido invitados a la boda Jesús y sus discípulos.

Cuando el vino se acabó, la madre de Jesús le dijo:

—Ya no tienen vino.

—Mujer, ¿eso qué tiene que ver conmigo? —respondió Jesús—. Todavía no ha llegado mi hora.

Su madre dijo a los sirvientes:

—Hagan lo que él les ordene.

Había allí seis tinajas de piedra, de las que usan los judíos en sus ceremonias de purificación. En cada una cabían unos cien litros.

Jesús dijo a los sirvientes:

—Llenen de agua las tinajas.

Y los sirvientes las llenaron hasta el borde.

—Ahora saquen un poco y llévenlo al encargado del banquete —les dijo Jesús.

Así lo hicieron. El encargado del banquete probó el agua convertida en vino sin saber de dónde había salido, aunque sí lo sabían los sirvientes que habían sacado el agua. Entonces llamó aparte al novio y le dijo:

—Todos sirven primero el mejor vino, y cuando los invitados ya han bebido mucho, entonces sirven el más barato; pero tú has guardado el mejor vino hasta ahora".

Sé que la primera comprensión de este texto tiene que hacerse desde la Cristología: Jesús es el vino nuevo que el Padre ha dado al final de los tiempos a los hombres para que se salven. Pero desde el Cantar de los Cantares se puede entender el vino como símbolo del amor del esposo y la esposa, y esto nos permite invitar a los esposos a no dejar acabar el vino del amor en su relación, a no dejar que las tinajas queden vacías y no haya como alimentar la relación. Muchas de las experiencias de separación de las parejas tienen su razón de ser en que dejaron acabar el amor, en que no lo alimentaron y este se fue enfriando completamente o, mejor, lo fueron matando con actitudes y comportamientos. Se acabó la pasión, la alegría de compartir, el goce de servirse mutuamente, y solo quedan las amarguras y el abismo que cada día se hace más grande.

La vida de esposos tiene que ser vivida desde el amor y para ello es importante tener la decisión constante de no dejar acabar el vino que los une. Es el amor el que los puede mantener unidos para siempre. Es el amor el que va a hacer que se cumpla la Palabra de Jesús: "Lo que Dios ha unido que no lo separe el hombre" (Mc 10, 9), ya que no hay nada más fuerte que el amor.

Te invitaría a que sirvas el mejor vino mañana. Esto es, a que el amor que le des mañana a tu pareja sea mejor que el que le has estado dando hasta ahora. Estoy seguro de que si los dos logran vivir la lógica de la relación de esta manera, ambos pueden alcanzar un gran nivel de realización. Se trata de servir siempre el mejor vino. Que cada día el amor que le das a tu pareja sea más maduro, más realista, más apasionado, más comprometido y más servicial que el anterior, para que ella se sienta bien y quiera responderte con un amor igual de intenso.

La actitud de un esposo que entiende su relación como sacramento de Dios es la de comprometerse, responsabilizarse, sacrificarse y entregarse en hacer de esa relación lo mejor, esto es, un espacio de realización personal. Para ello enfrenta la rutina con creatividad, sabiendo encontrarle sabor a aquellas realidades que se repiten, generando nuevas oportunidades de compartir y de hacerse cada día una sola carne. También se esfuerza en tener una comunicación efectiva en la que los malos entendidos son resueltos con amor, dedicación, comprensión y ternura. Cuando hay una comunicación eficaz, la pareja puede mantenerse unida y seguramente no se le acaba el vino. Logra que la pasión no se pierda en ninguno de los laberintos de las críticas, del rechazo y del silencio, sino que encuentra en todas esas situaciones catalizadores de su pasión.

El vino de la relación de pareja se deja acabar cuando se deja que la rutina le quite el sabor y la pasión a la relación y convierta a sus miembros en seres indiferentes el uno del otro que cada día se distancian más y se comunican menos. Cuando pasa esto, desaparecen las caricias, las expresiones de amor, los momentos de intimidad, y todo se reduce a la "obligación" de estar juntos.

En esta lectura existencial que hacemos, el texto nos muestra cómo los esposos pueden ir adónde Jesús a pedirle que les ayude a convertir la relación ordinaria e indiferente que tienen (agua) en la relación impulsada y bendecida por el amor (vino). Estoy seguro de que Jesús tiene siempre una respuesta maravillosa a la petición que una pareja le hace para que la ayude a mejorar su relación. Es el momento para orar y ojalá sus miembros lo puedan hacer juntos.

No son pocos los testimonios de parejas que han experimentado cómo el Señor Jesús les convierte en amor (vino) esas relaciones tristes y grises que tenían (agua). El abrir el corazón a Jesús, el Señor, hace que todo cambie en su vida y puedan tener una nueva relación. Para ello hay que seguir el consejo de la Madre de Jesús: "Hagan lo que Él les diga".

TEST
Dinámica sacramental

Instrucción: Junto con tu pareja, define las cosas que tienen resueltas (√) o pendientes (X) en el proceso de convertir su relación en un signo de amor verdadero para otros.

	Reflexiones	✔	X
"Dejará"	Hemos tomado las decisiones necesarias para que nuestra relación sea viable y funcione.		
	Estamos juntos por una auténtica decisión que hemos tomado libremente y sin presiones externas.		
	Hemos dejado atrás las vivencias propias de nuestra vida de solteros para asumir lo que implica construir la vida en pareja.		
	Estamos construyendo el futuro de nuestra relación desde una entrega auténtica del 100 % de cada uno.		
"Se unirá"	Podemos afirmar que nos conocemos bien a nosotros mismos y que conocemos al otro.		
	Hemos dado pasos para aceptarnos mutuamente en todas las facetas y rasgos, incluso en los que pueden no ser compatibles.		
	Estamos construyendo una relación en la que prima el amor por sobre las demás cosas.		
"Serán hechos"	Tenemos un claro proyecto en común, sabemos para dónde vamos, qué queremos juntos y cómo lograrlo.		
	Trabajamos por ser uno, apoyarnos, luchar y construir juntos, sin dejar de ser dos individuos distintos, cada uno con su personalidad.		
	Asumimos las dificultades, los problemas, los altibajos emocionales, y nos damos la oportunidad de sobrellevarlos.		

Capítulo 6

Resolución de conflictos
en pareja y en familia

El matrimonio debe ser una experiencia de felicidad y de realización. Los seres humanos se casan para ser felices. La felicidad aquí no se puede entender como ausencia de conflictos y de problemas, sino como la armonía que los miembros de la pareja tienen consigo mismos, con los demás y con la trascendencia. Ser, tenerse el uno al otro, ayudarse solidaria y sinérgicamente, ser fuente de placer, consuelo, compañía, cuidado y amor el uno al otro, son elementos que expresan toda la felicidad que debe haber en el matrimonio.

Estoy seguro de que este sí es un espacio en el que se pueda vivir feliz a pesar de toda la mala fama que se le ha hecho; estoy convencido de que los miembros de la pareja matrimonial pueden gozarse la vida y disfrutar en la entrega mutua del uno al otro. Pero los que se casan son seres humanos y esto hace que tengan momentos de desencuentro, de malos entendidos, de conflictos que tienen que saber superar para continuar con una buena relación.

No se puede imaginar la vida matrimonial como una experiencia de absoluta tranquilidad, sin ningún sobresalto, o de perfecta comunicación, sin ningún malentendido, o de total compartir, sin ningún choque por los intereses personales, o la perfecta convivencia, sin ningún desencuentro. Eso nunca ha existido y nunca existirá en la relación de dos seres humanos. Tampoco se puede creer que la relación tiene que ser tensa, difícil, problemática, sufrida e insoportable, porque entonces nadie debería casarse.

Hay que tener claro lo siguiente:

- Los miembros de la pareja no se pueden casar enamorados, es decir, hiperidealizando a la pareja, sino amándola, es decir, desde la realidad concreta que ella tiene.
- Hay que descartar todos los mitos que hacen que las expectativas sean irracionales y que no se puedan alcanzar, y se deben asumir las verdaderas motivaciones que se deben tener.
- Deben precisarse las acciones que exige la dinámica sacramental del matrimonio.

Se hace necesario trabajar en la superación de las dificultades y conflictos que se pueden generar en las relaciones matrimoniales, y trazar algunas claves para que esos conflictos sean una oportunidad de crecimiento. En este capítulo propongo un análisis de los métodos de resolución de conflictos que se deben usar en la vida de pareja para las situaciones complejas que esta tiene que enfrentar.

El matrimonio feliz no es el que no tiene problemas sino el que sabe solucionar las dificultades de manera eficaz. Nada se logra negando los problemas que se tienen y tratando de creer que todo está bien. Lo que se tiene que hacer es aceptar el conflicto, analizarlo de la mejor manera y elegir el mejor de los métodos de resolución de la situación que hace sufrir.

Es importante que no tengas miedo a los conflictos y entender que ellos son una oportunidad de crecimiento, de mayor intimidad y gratificación de la relación. Tu actitud debe ser la de no buscar conflictos innecesarios, pero a la vez la de no tenerle miedo a los problemas. Ten la certeza de que los conflictos le dan sabor a la vida y te hacen crecer como ser humano, y claro, como miembro de una pareja o de una familia.

Me gusta una frase de Estanislao Zuleta en su ensayo "Elogio a la dificultad", ya que nos muestra la importancia de tener dificultades en nuestra vida: "En lugar de desear una relación humana inquietante, compleja y perdible, que estimule nuestra capacidad de luchar y nos obligue a cambiar, deseamos un idilio sin sombras y sin peligros, un nido de amor y, por lo tanto, en última instancia, un retorno al huevo"[19]. No debes tenerle miedo al conflicto, sino saber que formará parte de tu crecimiento. No debes esconderte ante las dificultades, sino darle la cara y recibir la lección que tienen para ti. No debes atrincherarte en la ignorancia, sino ser capaz de batallar por el conocimiento. No debes quedarte amarrado a la cuna, sino entender que solo serás libre y feliz si sales a recorrer el mundo, a sabiendas de que te perderás y te volverás a encontrar.

Entiendo como conflictos esas interferencias, desencuentros, choques, competitividad y diferencias que se generan en la convivencia de los seres humanos y que ocasionan tensiones, discusiones y peleas, más aún en una relación tan estrecha y cotidiana como la de pareja, y que, por su naturaleza, son inevitables y necesarios.

LOS CONFLICTOS EN LA RELACIÓN DE PAREJA SON INEVITABLES

Tener conflictos en la relación de pareja no es una opción, es una imposición de la condición humana. No se puede tener

---

19   Zuleta, E. *El elogio a la dificultad y otros ensayos*. Editorial Planeta. Bogotá, 2015, p. 13.

una relación de pareja en la que no haya malos entendidos, desencuentros, choques, interferencias, en una palabra, conflictos. Estas experiencias son normales en la convivencia de los seres humanos. Nadie se puede sentir extraño porque tiene conflictos con las personas con las que vive. Lo que realmente hay que trabajar es cómo se solucionan esas dificultades y si se aprovechan como una manera de crecer y de mejorar. De todas formas dejemos claro por qué los conflictos son inevitables:

Somos únicos e irrepetibles

Las personas que comparten la relación de pareja son únicas e irrepetibles. Tienen su propia conformación psicológica, sus propias tendencias y gustos y, sobre todo, su propia historia personal. Por todo ello es normal que en muchas ocasiones no coincidan y tengan desacuerdo al comunicarse, al relacionarse. Cada miembro de la pareja procesa la situación que vive desde su psicología única y desde ella da sus respuestas, por lo cual no debe extrañar que en algunas ocasiones estas se entrecrucen conflictivamente.

Lo mismo sucede con la historia personal, que implica los modelos de familia y de pareja que alguien tiene en su mente, y los aprendizajes que hizo en su infancia, lo cual se traduce en situaciones de no aceptación, de rechazo y de enfrentamiento en la vida de pareja. Son dos seres diferentes que se unen, y esa unión pasa por solucionar muchas situaciones de dificultad que se presentan. Lo extraño más bien es que dos personas con condiciones diferentes puedan tener una buena comunicación y sean capaces de construir un proyecto de unidad sin dejar sus singularidades esenciales.

No falta la mujer que tiene una concepción de pareja construida desde la relación con su padre y no puede entender por qué su esposo es tan diferente; por ello lo juzga como un mal esposo, lo cual genera unos desencuentros dolorosos y dañinos. Tampoco falta el hombre que, criado en un machismo materno nunca ayudó en las tareas del hogar, y ahora quiere que su esposa se comporte como una esclava, generando una serie de maltratos y negaciones que generan mucho conflicto.

No todos percibimos la realidad de la misma manera

Estas diferencias psicológicas, culturales, sociales y educativas nos llevan a tener una mirada propia de la realidad que muy seguramente es diferente de la mirada que tiene la persona que amamos y que está a nuestro lado. Cada uno tiene su forma de percibir la realidad y de asumirla. Es posible que los procedimientos lógicos sean los mismos pero están realizados desde contextos personales y sociales bien distintos. Esto explica que de un mismo acontecimiento encontremos tantas versiones diferentes. No olvidemos que la percepción de la realidad es un proceso del sujeto, de la manera como este conoce y asume la realidad. Podríamos incluso decir que no percibimos la realidad tal como es sino tal como somos.

En la relación de pareja esto se evidencia aún más porque sus miembros son de géneros distintos: hombre y mujer. Ambos tienen formas muy distintas de entender la realidad; de hecho hoy está claro que los cerebros de ambos son distintos. No se trata de decir que una forma sea mejor que la otra, sino de evidenciar la diferencia que tienen de percibir lo que acontece, lo cual nos hace entender que es muy normal que haya conflictos entre los dos, porque muchas veces esas percepciones son contrarias y generan choques muy serios. En relación con la comunicación del amor se generan muchos choques por la manera de percibir la realidad: mientras las mujeres esperan un hombre detallista, atento, constante en la expresión de cariños, porque sienten así el amor, los hombres suponen que la libertad, la no generación de espacios de atención, el ser algo secos y fríos, son muestras de amor, y por eso no "molestan". Creen, además, que la mejor expresión de todo este amor está en las relaciones genitales.

No faltan parejas cuyos miembros se hayan separado porque no han podido llegar a acuerdos, a consensos desde los cuales, a pesar de sus distintas percepciones, puedan construir una relación de unidad, llegando a ser una sola carne. Recuerda que la unidad no se entiende como uniformidad sino como complementariedad: dos seres diferentes y completos que se suman para dar mucho más de lo que podrían dar separados.

Estructura propia del lenguaje

Tenemos claro que la relación que existe entre la palabra y la realidad no es una relación directa, inmediata, sino interpretativa. Entre la palabra y la realidad hay siempre un abismo que saldamos con la interpretación. La realidad no es una cartografía exacta de la realidad sino que nos la señala. Prueba de la necesidad de interpretación son las ironías que exigen ser entendidas: constituyen casi todo lo contrario de lo que nos están diciendo.

Esta característica del lenguaje posibilita los malos entendidos y las malas interpretaciones. Si la relación entre la palabra y la realidad fuera directa e inmediata, no habría por qué entender mal, pero como no lo es, lo excepcional son el entendimiento y la comprensión. No son gratuitas las dificultades de la comunicación, y se pueden comprender desde esta caracterización del lenguaje.

Los malos entendidos y las dificultades en esta área generan muchos conflictos en la relación de pareja. Son muchos los momentos en los que no se entienden ni comprenden los dos que se han dicho que se aman y que están buscando ser una sola carne. ¿Cuántas veces las discusiones se originan en una mala interpretación de lo tu pareja te está diciendo? ¿Cuántas veces, llevado por el contexto que estás viviendo, interpretas mal la palabra que sale de la boca de aquel que amas? ¿Cuántas veces, por no entender lo que ella o él te está comunicando, te sientes lejos y distante de esa persona?

Algunos reclamos habría que entenderlos no como reproches sino como manifestación de una necesidad: Cuando tu pareja te dice, por ejemplo: "Siempre estás pensando en ti y, claro, por eso vives haciendo tus programas en la calle", más que un reproche es la manifestación de la necesidad que tiene de estar contigo, de vivir a tu lado, de tener actividades juntos. Si los entiendes desde este punto de vista, seguro que no te causarán una reacción agresiva sino una expresión de amor y de cariño.

Choque de intereses

Se hace ahora más claro que los miembros de la pareja tengan intereses muy diferentes y, a veces, contrarios. Los imaginarios, las expectativas, los sueños son bien diferentes y generan comportamientos muy distintos. Por eso, al tomar la decisión de casarse debe quedarte bien claro cuáles son los intereses que tienes frente a la convivencia y llegar a puntos de acuerdo que permitan que ninguno de los dos se quede esperando lo que no se va a realizar. Esto les ayudará a ambos a no decepcionarse ni frustrarse por esperar algo que nunca va a llegar, porque en el imaginario y en los intereses del otro está muy distante.

En una relación deben quedar claros cuáles son los intereses que se tienen y qué es lo fundamental en la vida de cada uno. No debe haber agendas ocultas. Compartir es resultado de un buen proceso de conocimiento de los dos y, claro, de la aceptación que se requiere del otro. Los dos se conocen tanto, que tienen claro qué es lo que mueve la vida de cada uno y cuáles son los valores en los que ambos creen.

Todavía hoy me resuena en la mente la discusión de una pareja en la que se hacía evidente que tenían intereses muy diferentes: ella creía que era necesario tratar de ahorrar e ir asegurando el futuro, y él creía que había que preocuparse del presente y por eso había que gastar, con cuidado, pero pensando en el presente. Decía él: "Nadie sabe si va a vivir mañana". Eran dos maneras de ver la vida, lo que ocasionaba unas discusiones fuertes que los llevaban a distanciarse en todas las dimensiones de la vida de pareja.

Este choque de intereses se ve reflejado en situaciones tan simples como cuántos hijos quiere tener cada uno o cómo van a descansar en las vacaciones, o bien en el choque de expectativas diferentes por ejemplo con respecto a la sexualidad, al manejo del dinero común o a las relaciones con la familia política. Esas diferencias ocasionan conflictos pequeños, medianos y grandes que tendrán que ser bien resueltos si la pareja quiere seguir adelante en el proyecto de "ser uno" siendo dos.

Las suegras se han convertido en el icono de las malas relaciones —algunas veces con mucha injusticia, porque hay unas suegras extraordinarias—, pero lo mismo pasa con todos los familiares políticos, los cuales deben tener el equilibrio necesario para estar lo suficientemente cerca cuando la pareja los necesite pero lo suficientemente lejos para no estorbar.

Aunque parece extraño, son muchos los conflictos que se generan por la vivencia de la sexualidad en general y en concreto de la genitalidad. Son muchos los desacuerdos en cuanto a la periodicidad de las relaciones, a las formas mismas de estas e incluso a la satisfacción que estas deben dar. No faltan las mujeres que se quejan de que su esposo no es activo genitalmente con ellas, esto es, que pareciera su hermano y no propiamente el hombre que las desea, lo cual se vuelve un gran conflicto, porque ellas comienzan a preguntarse el porqué de tal situación, y eso hace que la relación se resquebraje y cause heridas muy fuertes.

Esto se hace más complejo si se tiene en cuenta que la relación de pareja suele estar imbricada en otras relaciones: la familia es el contexto en el que comúnmente se da la relación de pareja, y, claro, en la familia hay otras relaciones como las que hay entre padres e hijos, entre hermanos y con los familiares políticos. Eso no solo hace más complejo el tema sino que amplía la posibilidad de conflictos: ¿Cómo criar a los hijos?, ¿quién los cuida en determinados momentos?, ¿cómo se educan?, ¿hay rivalidad entre hermanos?, ¿hay preferencia por uno de los hijos?, ¿quién establece los límites para los hijos en sus búsquedas de placer? Todas estas situaciones pueden generar conflictos en la pareja. No es extraño que esta tenga choques al responder estas preguntas, pues, como he dicho, por lo general ambos vienen de contextos socioculturales muy diferentes.

Está claro también que los seres humanos somos susceptibles de errar y no puede extrañarnos que nos equivoquemos y esto ocasione un problema con la persona que amamos. Nadie es perfecto y todos podemos fallar en algún momento, por eso esas acciones negativas ocasionan enfrentamientos, heridas, malos entendidos con la persona con la que compartimos la vida. Eso es inevitable.

Para colmo de males nos enseñaron a creer que solo es válida nuestra visión de la realidad, nuestra verdad, y que tenemos que despreciar y rechazar las propuestas de verdad que hagan otras personas. Creemos que siempre los otros están equivocados y que solo nosotros hemos entendido la realidad como debe ser. Eso hace que hayamos desarrollado un miedo a reconocer que el otro tiene razón por creer que, hacerlo, nos hace vulnerables, menos importantes y poco valiosos, lo cual es una fuente de discusiones y peleas, a veces realmente innecesarias. Esto hace que algunos miembros de parejas crean que el camino es avasallar a la pareja y hacerle sentir que nada sabe y que nada puede, ofendiéndola y subvalorándola.

Al lado de esto hay que tener claro que las renuncias y los compromisos que exige la vida de pareja no son pocos ni fáciles, lo cual hace que muchas personas resulten acomodándose a lo que pueden y quieren dar en la relación de pareja, abriendo flancos de disputas y de conflictos complejos y muy difíciles de manejar. Una persona casada que no ha entendido que ya no tiene los derechos de un soltero ocasiona situaciones muy difíciles y que amenazan con destruir la relación. Los "casados solteros" son los que más destruyen la relación de pareja.

En síntesis, queda claro que los conflictos estarán presentes en la vida de la pareja, que no se pueden evitar, que forman parte de la condición humana y que nada se hace esperando una vida matrimonial sin problemas. Lo importante es saber qué hacer para solucionar los conflictos que se generan, cómo enfrentarlos, cómo resolverlos. Ese es el punto a trabajar.

LOS CONFLICTOS
EN LA RELACIÓN DE PAREJA SON NECESARIOS

Nos han enseñado a tenerle miedo a los conflictos, a buscar la manera de tomar distancia de ellos y a tratar de vivir evitándolos, como si tal cosa fuera posible. Nos han hecho creer que es mejor quedarnos quietos sin obtener lo que queremos, que no es válido salir a buscarlo y, por consiguiente, correr el riesgo de pasar momentos complicados. Nos han enseñado a no arriesgar, a ir siempre sobre seguro. Lamentablemente, esta no es una opción. Aunque te quedes quieto, aunque no arriesgues, aunque no te aventures a una respuesta, siempre habrá conflictos en tu vida. Son inevitables.

La afirmación que ahora quiero trabajar es que los conflictos de la vida de pareja bien resueltos la potencian, la hacen mejor. Es decir, que si quieres ser feliz en tu relación, debes entender que los conflictos son necesarios porque posibilitan conocer más al otro, te enseñan a relacionarte mejor con él y a superar las limitaciones que la individualidad genera.

Los conflictos nos ayudan a crecer

Siempre que tenemos un choque, una interferencia, un malentendido, una confrontación que resolvemos de manera inteligente y seria, crecemos como seres humanos y como pareja. Creces individualmente, porque eres capaz de conocer otras perspectivas de la vida que sin duda permitirán que la tuya sea más completa y creces en la relación de pareja, porque al tener que enfrentar la posición del otro sobre el tema en cuestión puedes saber más de él, puedes comprender mejor cómo procesa y entiende la realidad. Es decir, el conflicto permite que lo conozcas más.

Pero no solo conoces la verdad del otro y su perspectiva, sino que, en el esfuerzo de debatir, de argumentar, de mostrar lo que piensas, conoces mejor tu posición, tu perspectiva. De esta manera, no solo conoces las limitaciones de la otra persona sino las tuyas también, lo cual hará que la relación sea más fuerte al basarse en la realidad compartida de cada uno.

La discusión, el choque de intereses, los malos entendidos te hacen analizar de mejor manera a tu pareja. Ella no es cualquier persona, es la que dices amar y por eso estás dispuesto a conocerla mejor, lo cual supone apertura y ganas de solucionar las dificultades. Sin embargo, lo importante es que te quede claro que es necesario el conflicto en cuanto permite que cada una de los miembros de la pareja crezca al tener un mejor conocimiento de sí mismo y que la pareja como tal se fortifique, porque al ser ambos conscientes de las propias limitaciones y de las del cónyuge, se puede construir una relación real.

Julio y Juanita, por ejemplo, sienten que las dificultades que han tenido les han permitido ser mejores seres humanos. Julio dice que darse cuenta de que el mundo puede percibirse de una manera tan diferente, como lo hace su esposa, le ha permitido ser más tolerante en su trabajo y en otras dimensiones de la vida. Juanita, a su vez, dice que las discusiones que ha tenido con Julio le han permitido, no solo aprender a decir de mejor manera lo que siente, sino que le han permitido encontrarse con verdades que no conocía y que le han hecho sentirse mejor ser humano. Lo importante es que, por encima de cualquier conflicto, los dos tienen claro que se aman, y no permiten nunca que uno sea para el otro un enemigo. Saben solucionar sus conflictos y generar una mejor relación después de superarlos.

APRENDER A RESOLVER CONFLICTOS

La verdadera resolución de los conflictos nos hace ser capaces de revisar y mejorar los procesos y las decisiones que tomamos. El sentirnos contrariados y, algunas veces, sobrepasados por la información que recibimos o por la actitud de la persona que está enfrente nos exige que revisemos bien cómo procesamos la información recibida y nos hace ser conscientes de lo importante que es tomar una buena decisión. Somos capaces de encontrar el equilibrio entre las emociones y las razones que deben asistirnos al tomar una decisión que resuelva el conflicto presente.

Los conflictos en pareja son necesarios porque hacen que se descubra la riqueza de la diferencia en la relación. Eres capaz de estar frente a captaciones de la realidad muy distintas a las tuyas y puedes darte cuenta de cómo eso te hace mejor ser humano en cuanto comprendes al que es diferente. Algunos varones han descubierto que no es necesario gritar, imponer su fuerza ni amenazar para enfrentar una dificultad con la mujer que aman. Ha sido a partir de los encontronazos que han tenido y de las consecuencias que esto ha traído como ellos han aprendido que la resolución de un conflicto no puede pasar por esas reacciones primarias; los roces con su pareja los han llevado a entender que las soluciones pasan por acuerdos, por consensos y no por imposiciones.

Aprender a decidir es un arte que se enriquece cuando tenemos a nuestro lado personas que nos aman pero que a la vez son capaces de tener posiciones adversas a las nuestras y de mostrarnos aspectos de la realidad en los que no habíamos pensado, haciéndonos comprender que estamos equivocados en algunas de nuestras apreciaciones, personas que nos muestran posibilidades que no habíamos previsto y que nos iluminan con su palabra y concepto caminos que tenemos que recorrer y que no nos habíamos percatado de que estaban ahí. Todo esto hace que el proceso de decisión sea mucho mejor.

Quien decide siempre del lado de quienes están de acuerdo con él no crece ni mejora su proceso, pero quien se encuentra con obstáculos que inteligentemente tiene que revisar podrá tener un mejor proceso de decisión y podrá entender que no es buena idea ser reactivo y dejarse llevar por las primeras emociones. De alguna manera esto hace que la decisión sea más equilibrada. Ya no tendrá en cuenta solo su parecer, sino también el de la persona que está a su lado.

En muchas ocasiones las dificultades que se tienen con la pareja ayudan a desaprender los métodos de resolución aprendidos en casa, porque permiten darse cuenta de que son equivocados y no solucionan el problema sino que ocasionan aún más. Enfrentar la manera de resolver los conflictos de tu pareja te muestra que tienes que ser capaz de desaprender mucho para poder vivir de una manera tranquila y segura con ella. Es posible, por ejemplo, que estés acostumbrado a hacer de cada situación conflictiva una Tercera Guerra Mundial, y que te encuentres con una persona serena que sabe darle a cada situación la atención que requiere, sin exageraciones.

LOS CONFLICTOS LE DAN SABOR A LA VIDA

Nadie quiere vivir en conflicto ni lo busca, pero está claro que las preocupaciones, las tensiones, los temores y las dificultades que se experimentan le dan un cierto sabor, un color a la vida, pues nos obligan a pensar y tratar de entenderlo todo. Una relación de pareja no solo pasa por los momentos de goce y de placer, sino también por momentos en los que hay preguntas, miedos, arrepentimientos y todo tipo de situaciones humanas que le hacen saber al uno que ama al otro y que quiere que esté feliz.

Todas estas situaciones hacen que la reconciliación o la etapa de posresolución del conflicto sea un bello momento para tener claro que los dos miembros de la pareja se aman y que quieren estar juntos; de establecer hojas de ruta para seguir adelante y, sobre todo, de comprender que tomaron la mejor decisión al elegir compartir un proyecto de vida juntos. Si se resuelve bien el conflicto, la relación se hará más fuerte y habrá más motivos para seguir adelante. Se conocerán mejor y valoraran mucho más estar juntos.

Creo que sin conflictos las relaciones no podrían avanzar ni superar las situaciones límite, ni podrían fijarse cada día metas más altas, ni tampoco cada uno sabría cuánto lo ama su pareja. Es en medio del conflicto cuando esto queda mucho más claro.

MÉTODOS NO RECOMENDADOS PARA LA RESOLUCIÓN DE CONFLICTOS

Soy consciente de que la relación de pareja depende de saber enfrentar los momentos difíciles y de resolverlos de la manera adecuada. Pero ¿cómo solucionar los conflictos que nos genera la vida diaria? A lo largo de la historia, el ser humano ha ido estableciendo unos métodos que nos ayudan a resolver situaciones. Quiero echar mano de algunos de ellos y tratar de proponer cuáles podrían servir para enfrentar las situaciones conflictivas que se dan en la familia y cuándo aplicarlos. Pero antes hablaré de algunas tácticas que muchas parejas emplean para resolver conflictos y que no recomiendo, pues en lugar de solucionarlos, tienden a empeorarlos.

LA EVITACIÓN

Es una táctica que evade la confrontación. Consiste en mirar para otra parte como si la situación no existiera. En el imaginario popular se menciona mucho la imagen del avestruz que entierra la cabeza para no ver el problema.

Puede ser útil cuando:

- El conflicto es de poca importancia y no vale la pena dedicarle tiempo ni atención. Muchas veces las interferencias que se tienen son minúsculas y no vale la pena entrar a enfrentarlas ni ocasionar una discusión por ellas. No se puede desgastar la relación en situaciones que no son fundamentales ni importantes en la vida.

- La medida es provisional. En un momento determinado se evita enfrentar el problema porque se pretende buscar un espacio y un tiempo más oportunos para tratar de resolverlo, en especial porque en ese momento las partes se encuentran exaltadas y con muchas posibilidades de perder el control. Un ejemplo es estar en una fiesta y creer que el otro ha coqueteado con otra persona. Tú decides no decir nada en ese momento —evitas una confrontación—, pero al llegar a casa pides aclaración sobre el comportamiento y tratas de entender qué fue lo que pasó.

Sin embargo, es una manera incorrecta de comportarse cuando se toma como una actitud de vida y no se enfrentan los problemas sino que se adquiere el hábito de evitarlos. Recuerdo a un amigo que decía que todo tenía que ser "chévere" en la vida, y con esa expresión justificaba la actitud de esconderse ante las dificultades que su vida de pareja y de familia traían.

Es una manera muy peligrosa de asumir los conflictos porque:

- Mientras se mira para otra parte, el problema va creciendo y tiende a agudizarse. Las realidades humanas son dinámicas, van moviéndose y adquiriendo características diferentes. Los problemitas que no se atienden pueden llegar a ser problemas muy grandes, y lo que se puede resolver con un buen diálogo termina siendo un enfrentamiento agresivo y muy dañino. Pablo de Tarso entiende esto muy bien y siempre le pide a las parejas que "no se ponga el Sol sobre vuestro enojo" (Ef 4, 26). Se puede diferir el momento de enfrentar el momento, pero hay que hacerlo. No se le puede tener miedo a ese momento de confrontación y de diálogo. Mi abuela decía: "Mejor rojo un día, que pálido toda la vida".

- Cuando los problemas de la vida de pareja no se enfrentan, se genera una falsa seguridad. Se cree que se está bien pero por debajo están las dificultades y los problemas. Sus miembros terminan pisando un terreno fangoso que en algún momento va a permitir que se hundan. No sé si conoces casos de pareja que nunca han tenido una dificultad —aparentemente todo está superbien— y tienen un traspié e inmediatamente se da la separación. Uno se pregunta por qué y la respuesta es que vivían en una apariencia porque nunca habían estado bien, porque no habían querido enfrentar los problemas que tenían.

- Concomitantemente con los problemas que se prefiere no ver van surgiendo otros que seguramente van a crecer también. Al lado de esa falta de pasión en la relación, que no es objeto de análisis ni de conversación, se genera un distanciamiento que se puede expresar en mala comunicación y que termina minando la relación. Seguramente si se enfrenta el primer problema no se llega hasta allá.

La evitación tiene que saberse manejar. Hay momentos en los que es oportuna, pero no puede ser una actitud permanente. Es necesario discernir bien cuándo usarla y cuándo no. Lo importante es que tengas claro que ninguna dificultad, por grande que sea, debe hacerte olvidar los compromisos que adquiriste y que adquirió tu pareja.

La coerción

Esta manera de enfrentar las situaciones conflictivas se puede entender como la presión que se ejerce sobre una persona para que haga lo que otro quiere. Cuando se tiene un problema en frente, que normalmente se debe a posiciones diferentes y contrarias, algunos usan la fuerza física como la manera de presionar a la otra persona.

Dolorosamente, tenemos muchos ejemplos de hombres que se imponen a su pareja por la fuerza física con amenazas e incluso golpes. También la información y el conocimiento se usan como medidas de coerción con las que se lleva al otro a aceptar el pensamiento propio.

El tema es la imposición de una perspectiva. No dejarle a la otra persona la posibilidad de elegir la opción que desee sino aceptar la que se le está imponiendo. En algunos casos el trabajo se hace tan bien, que se le imponen dos variables negativas y se le exige asumir una, cuando definitivamente las dos son inelegibles. La persona se siente presionada y termina teniendo mucho miedo de expresarse y manifestar lo que considera correcto.

Es evidente que esta no es la mejor manera de enfrentar los conflictos y que su uso es una manera de destruir la relación, porque:

• Estas relaciones de dominador-dominado son falsas. Nadie está a merced de nadie, y en algún momento se puede voltear la situación. Muchas noticias de agresiones pasionales que cometen algunas mujeres son fruto de todo el maltrato que han recibido. Ellas que han sido dominadas y maltratadas, estallan y se defienden de manera equivocada.

• En una relación de interdependencia, como la de pareja, no es ninguna opción imponerse y maltratar a la otra persona cuando se le necesita para que la relación pueda tener sentido. No se puede maltratar a nadie, pero menos a la persona con la que se está viviendo.

• Estos comportamientos generan mucho resentimiento y sobre todo ansias de desquite, lo que implica que el posconflicto puede ser más traumático que el conflicto mismo.

Está claro que esta manera de enfrentar los problemas es equivocada. Nadie puede pretender tener una buena relación de pareja si está maltratando, presionando, imponiendo su verdad a la otra persona. Es necesario valorarla tal cual es y comprender que ella tiene su propia perspectiva de la vida y derecho a expresarla con total libertad.

EL REGATEO

Es el método de resolución de conflictos que más conocemos. Cuando se habla comúnmente de que alguien es negociador, se le imagina como un ser humano capaz de regatear hasta encontrar un buen precio. La creencia general es que el mejor resultado del regateo es la partición de la diferencias esto es, tomar la distancia que separa ambas partes y dividirla por dos. Por ejemplo, el vendedor pide 10 pesos por los mangos y el comprador ofrece 5. La diferencia entre los dos es de 5, la cual parten, y el comprador termina pagando 7,5 pesos.

Este método se usa cuando uno no tiene confianza en el otro y sospecha que el precio que está poniendo está inflado. Se parte de la sospecha de que el otro quiere engañarme y de que, por la misma razón, no me debo "dejar". Por eso, bajo ninguna circunstancia debo dejar ver mis intereses; los oculto para que el otro no pueda manipularme a través de lo que sabe que me interesa. Para ello debo aparentar, disimular mis intereses, incluso engañar a mi "oponente". Es muy importante que él no sepa, a ciencia cierta, lo que quiero. En la base de este método está la seguridad de que soy irreconciliable con esa otra persona. Por eso lo ideal, según este método, es partir la diferencia.

Una buena regateadora que conozco es mi mamá. Siendo niño la acompañaba a la plaza de mercado y la veía trabar negociaciones con los vendedores y obtener siempre los mejores resultados. Se comportaba como una negociadora dura. No le importaba hacer sentir mal al vendedor y partía siempre de la certeza de que el vendedor le estaba subiendo al producto un 1000 %. Por ejemplo, si pasaba cerca de un puesto de venta de aguacate y veía uno que le agradaba, enseguida preguntaba el precio: 80 pesos, e inmediatamente respondía: "Te doy 20". A mí me daba mucha vergüenza y le preguntaba por qué hacía eso, y ella decía que debía ponerle el piso a la negociación, ya que el otro le había puesto el techo. El regateo se hacía difícil. En algún momento incluso lograba espetar: "Realmente a mí ni me gusta el aguacate ese". Y no faltaba el día en que nos íbamos de ese puesto, recorríamos toda la plaza, y al irnos volvíamos a donde el vendedor de aguacate a tratar de encontrar un arreglo. Siempre terminaba con un buen precio, decía ella, pero algunas veces, al terminar la compra, nos encontrábamos con que el aguacate incluso estaba más barato de lo que ella lo había comprado. Lo cierto es que eso hizo que yo no volviera a acompañarla a comprar en la plaza de mercado.

No puedo negar que en muchas ocasiones este método funciona, pero no creo que deba ser el que se use en un conflicto de pareja, por varias razones:

- El objetivo es que el otro no te robe. Por eso se piensa en el empate. En el que el otro gane lo menos que se pueda. En una relación de pareja no se puede partir de la desconfianza. No se puede vivir creyendo que esa persona con la que duermo y comparto la vida quiere hacerme daño y por eso me tengo que esconder y defender de la mejor manera. La mentira, la actuación y el engaño no pueden constituir factores de la manera como te relacionas con esa persona que tanto dices amar.
- En términos estrictos todos pierden. No hay verdaderamente alguien que pueda decir que ganó. Si se

saca la media para resolver el conflicto, entonces los dos pierden. Sentir que el otro ganó (si se resuelve en la lógica ganador-perdedor) lo único que ocasiona es resentimiento y estar dispuesto, con mala actitud, para la siguiente vez. En una relación de pareja lo importante no es quién gana o quién pierde; lo importante es que los dos se sientan satisfechos con el acuerdo que han logrado.

- No hay un verdadero acuerdo y lo único que se hace es aplazar el próximo conflicto. Nadie queda realmente satisfecho cuando toca ceder la mitad de la razón que se cree que se tiene. Todos terminan pensando que perdieron en ese sacrificio por convivir con el otro. A la postre lo que ocasiona esa sensación es dejar a todos indispuestos y permitir que pronto vuelvan a chocar.

- Quienes se aman no tienen que regatear sino abrirse a la construcción de un consenso, de un acuerdo que los satisfaga verdaderamente y los haga encontrar nuevos motivos para seguir compartiendo la vida y seguir adelante. Desaconsejo este método para resolver los conflictos de pareja. Los dos se aman mucho como para desconfiar el uno del otro, para esconder entre sí lo que realmente están queriendo y para terminar dando por empatada una situación que realmente debe ayudarles a encontrar nuevos puntos de vista y nuevas realidades.

Así como este método puede funcionar cuando estamos negociando con alguien de quien dudamos, no funciona en una relación construida sobre la confianza, como el matrimonio. Las soluciones a las que se llegan con este método son efímeras, y de alguna manera lo que hacen es preparar el próximo conflicto. Regatear con la pareja no es lo aconsejable. Tiene que haber otras maneras de resolver los conflictos.

MANEJO DE CONFLICTOS
EN LA PAREJA Y EN LA FAMILIA

A continuación quisiera proponer maneras muy concretas de resolver los conflictos interpersonales en las relaciones de pareja y en la familia en general. Trataré de precisar una técnica para cada una de las posibilidades:

Procurar el gana-gana

El famoso método Harvard de resolución de conflictos es el llamado "método integrador". Quiero señalar los elementos más importantes y mostrar cómo este método nos puede servir en las relaciones de pareja y en la familia misma. Lo entiendo como ese proceso de resolver los conflictos según los intereses y los principios, y no desde las posiciones. No se acepta el regateo como técnica, ni la mentira, ni el engaño. Se hace un esfuerzo por separar a las personas del problema como tal.

La idea es que las dos personas obtengan lo que están buscando, es decir, que logren concretar sus intereses. No se trata de que los dos logren 50 % y 50 %, porque eso sería un pierde-pierde. Se trata de que ambos ganen el 100 %. Esto parece imposible pero siempre es posible, y para ello hay que salir de una lógica unívoca y entender que la vida es más compleja de lo que nos imaginamos. El ejemplo que siempre uso para explicar esto es el siguiente:

Dos hombres quieren un bulto de naranjas y están discutiendo por él. Los partidarios del regateo dirían que cada uno se lleve la mitad del bulto. No faltará el que piense en imponer su fuerza y llevarse el bulto de naranjas y dejar al otro sin nada. Pero si se comienzan a revisar los intereses, se podría llegar a un gana-gana, cuando se descubra que uno de los tipos tiene una fábrica de conserva y quiere el 100 % de la cáscara de las naranjas y que el otro tiene una fábrica de jugo y lo que quiere es la pulpa y se puede llevar el 100 % de esta.

Estoy seguro de que en la relación de pareja lo más importante es que ambos ganen.

Se debe hacer una distinción clara entre el problema como tal y la persona. Se es fuerte y firme con el problema pero a la vez se es suave con la persona. No se trata de pelear y ocasionar heridas personales, sino de solucionar un conflicto que se tiene. La idea es que los dos —en la relación de pareja— se junten contra el problema. Ese es el enemigo al que hay que vencer. Estoy pensando en una pareja que tiene problemas al no poderse poner de acuerdo en la crianza de los hijos. Seguro pueden resolver el problema cuando los dos se den cuenta de que lo importante no es la posición que cada uno tenga sino el bien de los hijos.

En este método hay un esfuerzo por poner énfasis en las coincidencias que tienen las personas que están trabadas en la disputa o en el conflicto. Seguramente que en la medida en que se van viendo las coincidencias se podrá percibir que los intereses no están tan lejos. Es decir, que se pueden encontrar situaciones que unan a las personas y que les ayuden a lograr un consenso, frente a lo que ahora las hace tan distantes.

Hay que insistir en que hay que centrarse en los intereses y no en las posiciones. Estas pueden ser contrarias y los intereses, al mismo tiempo, complementarios y no contrarios. Por ejemplo, los que discuten por el bulto tienen posiciones bien diferentes: cada uno quiere el bulto para sí, pero tienen intereses que no chocan y que pueden, incluso, complementarse.

Lo importante de este método es que las personas resuelven realmente el conflicto de manera gratificante y pueden seguir ayudándose en la realización de los proyectos de vida. Por eso creo que las parejas tendrían que aprender a usar este método para que todas esas situaciones que las distancian no sean motivos para desunirlas sino para unirlas más.

Técnica: Tratar de encontrar los puntos en común y llegar a un consenso.

ENTENDER EL PENSAMIENTO Y LOS SENTIMIENTOS DE LOS OTROS

No se puede resolver un conflicto con la persona amada —y con nadie en general— si no se sabe cómo piensa y siente. El desconocimiento de esto es lo que la impulsa al conflicto, y al entenderlo, seguramente se podrán comprender mejor los intereses que la otra persona tiene en la situación y que se traducen en una posición que parece contraria a la propia. Es necesario darse cuenta de cómo está percibiendo el mundo la otra persona. ¿Qué es realmente lo que quiere?, ¿por qué lo quiere?, ¿qué está sintiendo realmente?, ¿qué lo mueve a actuar de esa manera?

No se puede olvidar que cada ser humano actúa racionalmente desde su sistema lógico. Por eso no se puede despreciar *a priori* las posiciones de nadie ni rechazarlas antes de analizar bien cuál es el sistema que las está produciendo.

En este orden de ideas, el problema no es si es malo o no, sino cómo está pensando lo que está pensando. No olvidemos que es normal que las personas se resistan al cambio y quieran mantener el *statu quo*. Su historia, su formación académica, sus dificultades, sus sueños e intereses, sus miedos, su estructura emocional, todo influye directamente en la posición que está asumiendo. Si se quiere solucionar bien ese problema es necesario ser capaz de comprender su manera de pensar y su manera de sentir. El otro miembro de la pareja conoce al otro mejor que nadie; antes de pelear, de rechazar su posición, debe tratar de comprender por qué está diciendo y haciendo lo que dice y hace.

Si eres mujer, debes tener en cuenta que él es un hombre y se siente muy lastimado cuando tú lo comparas con el esposo de tu amiga. Tal vez a ti eso no te importaría mucho, pero a él le genera unas heridas que le hacen reaccionar fuertemente. Por un instante trata de comprender el mundo desde su perspectiva masculina para que entiendas por que reacciona tan intensamente. Si eres hombre, debes tener en cuenta que ella es mujer y no puede soportar que tú no la consientas, ni la llenes de detalles, ni le des toda tu atención. Es probable que para ti no sea importante que te esté mirando cuando te habla, ni que te regale una rosa al llegar, pero para ella sí es muy importante, y si quieres tener una relación sana tendrás que tratar de pensar y sentir como ella por un momento para comprenderla y entenderla.

Técnica: Ponerse en el lugar del otro.

COMUNICARSE EN DOS DIRECCIONES

Por lo que he dicho de la estructura del lenguaje, queda claro que no es fácil comunicarse. Nadie garantiza que lo que tú estás diciendo sea exactamente lo que el otro está comprendiendo, y viceversa. Tienes que estar seguro de que lo que entendiste fue lo que la otra persona dijo. No saques conclusiones apresuradas ni rechaces lo que no estás seguro que entendiste bien.

La comunicación exige dos sujetos que se entienden y comprenden, que comparten sentido y que se retroalimentan. Es preciso propiciar el espacio suficiente para que el otro redunde en su mensaje y lo podamos captar verdaderamente. Hay que hacer el esfuerzo de explicar muy claramente lo que estamos diciendo. Hay que saber hablar y saber escuchar. Muchas de las dificultades que se dan es que no se sabe escuchar: se interrumpe constantemente al otro, no se le deja terminar sino que se adivina lo que va a decir, no se le da la apertura y la atención que requiere. Pero lo mismo pasa con el hablar: es necesario que no haya gritos, ni expresiones de rechazo, ni palabras que hieran. Si no se sabe hablar ni escuchar, no se podrá resolver el conflicto.

Muchas mujeres no dejan que su esposo hable y diga todo lo que está sintiendo. Muchas tienden a adivinar lo que va a decir y antes de que termine ya lo están corrigiendo o atacando; eso lo único que logra es que no haya una buena y eficaz comunicación. Muchos hombres desprecian lo que sus esposas dicen y no les ponen la atención necesaria para dejarlas expresar todo lo que sienten y a la vez tratar de comprender su mundo por medio de esa buena comunicación.

Insisto en que no es inteligente escalar un conflicto sin estar seguro de que lo que estoy entendiendo es lo que me están diciendo. Sin una buena comunicación no hay posibilidades de resolver el conflicto. Hay que aprender a escuchar y a hablar para comunicarse eficazmente. Habrá que decir: "Mi amor, me estás diciendo que debo irme de tu lado" y

escuchar con total atención la respuesta, que muy seguramente es: "No, eso no es lo que quiero, lo que quiero es que
me comprendas y me ayudes".

Técnica: Repetir en nuestras propias palabras lo que ha
dicho el otro, hasta que el otro sienta que lo hemos entendi-
do/comprendido (mediante un parafraseo).

RESPONSABILIZARSE DE LAS PROPIAS EMOCIONES

Nadie es responsable de lo que, estás sintiendo. Tus emociones son tu responsabilidad. Eres tú mismo quien tiene que
dar cuenta de ellas. Es importante tener claro qué estás sintiendo, hacer conciencia de la emoción que en ese momento
te está impulsando a actuar. Siempre será muy importante
que tomes conciencia, ejerzas control y uses las emociones
que experimentas en función del proyecto de vida. Para ello
es fundamental que entiendas que nadie distinto de ti es el
responsable de la emoción que estás viviendo.

No puedes seguir diciendo: "Me hiciste sentir miedo",
"Eres el responsable de estos celos que estoy sintiendo",
"Tú eres el causante de esta ira", porque estas expresiones
muestran que no eres consciente ni responsable de tus emociones; y ponen la solución, no en tus manos —como debe
ser—, sino en las manos del otro: como el otro es el responsable de tu ira, de tu miedo, de tus celos, que haga algo para
que tú no vuelvas a sentir eso.

Lo ideal siempre es controlar tus emociones y poderlas
transformar en función de tu proyecto de vida, esto es, ser
muy proactivo. Cuando no eres capaz de hacerlo, tienes que
ser capaz de tomar distancia del estímulo que te está posibi-
litando esa reacción emocional. Quedarte recibiendo el estímulo sin poder controlar la reacción seguro va a ocasionar
peores problemas que los que estás teniendo.

Se trata de ser muy proactivo, de saber elegir la respuesta correcta para el estímulo que estás recibiendo. No puedes cambiarlo, pero sí eres dueño de la reacción que tenga frente a él. Por eso es muy importante no ser reactivo y pensar muy bien la reacción y sus consecuencias. Cuando no eres consciente de las emociones sino que eres esclavo de los estímulos, terminas siendo manipulable y predecible. Ya la gente sabe cómo estimularte para lograr tal o cual reacción, porque no eres capaz de liberarte —controlar la emoción— y actuar de manera distinta.

De manera perversa, algunos hombres culpan a sus mujeres de haberlas agredido: "¿Viste lo que me hiciste hacer?". Y dolorosamente muchas mujeres creen que ellas fueran las responsables de semejante canallada. En eso hay que crecer y madurar. Cada uno responde por sus emociones y lo que hace con ellas. Nada justifica que con tus emociones dañes a otro. Tienes que ser capaz de controlarlas.

Es muy importante que se dé una comunicación capaz de compartir lo que estoy sintiendo. Eso ayuda a que los dos entendamos cómo podemos ayudarnos para el control de las emociones, partiendo siempre de que dos personas que se aman no quieren nunca hacerse daño.

Técnica: Describir el acto que perturba y la emoción que produce.

Usar la razón

Es muy importante que uses la razón para enfrentar las situaciones conflictivas que tienes a diario. No puedes dejarte impulsar solo por las emociones sino que tienes que pensar bien, entender lo que pasa y ver cómo puedes responder de la mejor manera a esa situación. En las discusiones, en los enfrentamientos que se dan al interior de la pareja es necesario que uses la razón para tener claro frente a quién estás —la persona que más amas— y las consecuencias que eso puede traer —sufrir por verla sufrir—, lo que hace indispensable que razones claramente.

En esos momentos en los que hay discusión, tensión, choques, es necesario que pienses bien y evites engancharte en situaciones banales o dejar que escalen a causa de expresiones poco inteligentes. Es necesario que evites las generalizaciones que siempre son equivocadas. Expresiones como: "Tú siempre te equivocas", "Tú nunca haces nada bien" o "Ninguna mujer sabe conducir" no ayudan a que la dificultad se solucione sino que al contrario permiten que esta escale.

Muchas veces guardar silencio, saber decir un chiste que distensione, hacer una reflexión seria ayuda a que no se siga discutiendo con todas esas palabras cargadas de emociones negativas. Lo importante es no caer en el golpe a golpe que siempre tiene perdedores y heridas. Hay que ser muy racional para no dejarse ofender por las expresiones de ira que la otra persona está diciendo y hacerla ubicar en el contexto.

Dolorosamente en las discusiones de pareja lo que menos hay es una posición racional. A veces se entra en la lógica de quién golpea más duro con sus palabras o cómo dejar sin argumento al otro, y no de explicar realmente el interés que se tiene sobre la realidad que está en conflicto. No dejarte enganchar en el conflicto emocional es fundamental para no generar más heridas y alejar cualquier solución. Debes cuidar mucho lo que dices en esos momentos para no tener luego que arrepentirse.

Técnica: No discutir, dejar que haya desahogo, hacer reflexionar, desarmar al otro con argumentos.

No generalizar

Lo importante es que observes la situación y no emitas juicios de valor. Es mejor decir lo que estás viendo y sintiendo, y no hacer juicios destructivos, que ofenden y maltratan al otro. Que una persona reaccione de una determinada manera no implica exactamente que sea así. Por ello tienes que evitar emitir juicios generalizadores que lo único que hacen es mostrar tus paradigmas y no a ti como persona.

Puedes criticar duramente un comportamiento pero no a la persona. No estás autorizado para juzgar a nadie. Realmente no tienes todas las condiciones ni el conocimiento para definir a través de un juicio a la otra persona, por eso es necesario que sepas diferenciar al sujeto del acto, poder criticar el comportamiento y no al ser humano que lo hace.

Estás muy condicionado por las situaciones y muchas veces reaccionas contrariamente a lo que eres y no mereces que se te defina para siempre por esa reacción. Conozco personas muy serenas que en un momento han estallado y que no merecen ser definidas como explosivas por esa reacción.

Técnica: Elogiar la persona, no el comportamiento. Criticar el comportamiento, no a la persona.

No descalificar

Que no estés de acuerdo con alguien no significa que ese alguien no tenga capacidades o sea inepto. Una manera de resolver los conflictos es que veas bien la situación sin valorar negativamente a la persona que está frente a ti. No es justo que le digas a alguien que no es par para hablar contigo, ni decirle que es menos que tú, que se calle.

Descalificar a la persona que está en desacuerdo contigo habla muy mal de ti. Todo el mundo merece tu respeto y valoración. Es realmente una locura descalificar a tu pareja cuando conoces todas las cualidades que tiene. Tampoco puedes descalificar el problema. Debes darle a cada situación el valor y el tamaño que tiene. Muchas veces por descalificar el problema terminas abriendo espacios para situaciones más complejas y difíciles.

Mucho menos debes descalificar las posibilidades de solución que se te presentan. Es necesario que hagas un buen análisis y no te dejes llevar por las apariencias. Tampoco debes descalificar el significado que el problema tiene en la vida, debes hacer un análisis completo que te permita valorar plenamente la situación.

No pocas parejas han visto cómo crecen los conflictos porque primeramente no le han puesto la atención requerida y han dejado que crezcan. Es necesario que todos los conflictos sean analizados con cuidado y se intente responder a ellos desde las conclusiones que se obtienen. Todo tiene un valor y hay que saberlo encontrar. Nada es gratis en la vida y todo trae consecuencias que se tienen que haber previsto para que no nos sorprendan.

Técnica: Tener en cuenta los pensamientos, sentimientos y acciones del otro.

Llegar a acuerdos de integración

No se trata de ganar o de perder, sino de solucionar los conflictos. El problema no es quien es el culpable, sino que la situación quede resuelta. La lógica al enfrentar la situación tiene que ser muy distinta a la que tienes con un enemigo a muerte o con alguien a quien no le tienes nada de confianza. Esa persona con la que estás chocando o teniendo una dificultad es la persona que has elegido para vivir con ella el resto de la vida y eso implica fundamentalmente actuar de una forma distinta y generosa.

Los dos deben sentirse bien con el acuerdo al que hayan llegado, porque eso hace que la relación siga fluyendo y que sigan confiando el uno en el otro. No se vale la imposición, el maltrato, la manipulación ni ninguna situación que ponga en riesgo la dignidad del otro y la relación en general. Para ello es muy importante tener presente que esa persona es amada por ti y que no quiere dañarte. Cuando no tienes claro que la otra persona es confiable, que es a la que amas, que es la que te ama, con seguridad las actitudes van a ser muy agresivas y dañinas.

Un acuerdo integrador es aquel que destaca los intereses comunes. Normalmente los intereses de los miembros de una pareja son comunes aunque las posiciones sean diversas e incluso contrarias. Siempre hay una categoría superior que contiene las dos que son contrarias en ese momento. Se trata de montar el acuerdo en esas categorías superiores. No se puede dejar que las apariencias irreconciliables de las posiciones haga creer a la pareja que todo está perdido.

Este tipo de acuerdos siempre destaca las soluciones pacíficas, sin permitir ninguna acción que dañe o haga sufrir al otro de manera deliberada. No se acepta ninguna manera de violencia, ni la física, ni la gestual, ni la emocional, ni la sutil. Ninguna, ya que cualquier acción violenta deja heridas que pueden causar problemas peores.

Técnica: El análisis crítico de distintas alternativas. Una actitud de lo mejor para los objetivos comunes.

Estoy seguro de que estas reflexiones ayudan a la pareja a entender su relación desde lo que la une y la hace crecer, y no desde lo que promueve los conflictos. Las distintas formas de resolución de problemas ayuda a entender que lo más importante es que la vida en común sea de crecimiento y felicidad.

No se vive para sufrir, y cada posición que se tiene frente a los conflictos debe tener presente esta intención, este deseo.

En este sentido tiene que quedar claro que el propósito de la vida de pareja es fortalecer las relaciones a partir de las soluciones del conflicto. Después de cada solución, la pareja tiene que sentirse más unida y sentir cómo su relación es más firme y sólida. Sin duda, el *quid* de la relaciones está en la manera de solucionar los problemas. Si los esposos son capaces de aprender a hacerlo a través del método integrador, del gana-gana, seguro que podrán ser felices en el desarrollo de sus proyectos personales de vida.

Es necesario que ambos trabajen en crecer y mejorar sus habilidades comunicativas. Si aprenden a comunicarse excelentemente, podrán solucionar todos los conflictos. Saber expresarse y saber escuchar al otro es fundamental para poder captar su interés y darse cuenta de que no está muy lejos del propio. Eso implica un ejercicio continuo que se realiza desde la opción de amar a la otra persona.

Es necesario tener presente que la vida en común merece mucho esfuerzo. Nada que tenga valor se consigue si no es con esfuerzo y dedicación. Hay que estar dispuesto a todo por sacar adelante la vida en común. No se puede tener una actitud facilista que seguro aconseja abandonar todo ante la más mínima controversia, lo cual genera inestabilidad.

Todo con amor se puede salvar. Esa es la base para encontrar soluciones que favorezcan a los dos y los haga crecer como seres humanos y como pareja, pero hay que dejar claro que no basta solo con amor. Por lo tanto no se puede hiperidealizar el amor y creer que basta con amar. Es necesario trabajar, esforzarse, ceder, sacrificar, comprometerse, comunicarse bien, para que el poder del amor se note y se haga presente hasta lograr la felicidad.

TEST
Resolver conflictos

Instrucción: Escribe abajo de cada frase un conflicto actual de tu vida en el que consideres que debes aplicar lo que propone el enunciado.

- Intentaré saber exactamente qué es lo que hay de fondo en este conflicto.

_____

_____

_____

_____

_____

- Garantizaré que él/ella gane en todo lo que le interesa, tanto como yo.

_____

_____

_____

_____

_____

- Mantendré intacto mi ánimo hacia él/ella, separando el conflicto de la persona.

_____

_____

_____

_____

_____

- Dejaré que el tiempo y las circunstancias sigan su curso para que esto se resuelva.

_____

_____

_____

_____

_____

- Haré todo lo posible por ver la situación desde el punto de vista de la otra persona.

_____

_____

_____

_____

_____

- Le diré cómo entiendo lo que me está diciendo para ver si estamos en sintonía.

_____

_____

_____

_____

_____

- Le diré exactamente qué es lo que me hace daño y lo que eso me produce.

  _____

  _____

  _____

  _____

  _____

- No discutiré, dejaré que se desahogue, se calme, y le diré por qué creo que se equivoca.

  _____

  _____

  _____

  _____

  _____

- Le recordaré que sigo convencido de que es una gran persona, aunque haya fallado.

  _____

  _____

  _____

  _____

  _____

- No haré críticas, juicios o descalificaciones, no heriré sus sentimientos.

_____

_____

_____

_____

_____

- Propondré que juntos dediquemos tiempo a analizar las cosas y encontrar el camino que nos permita sentirnos satisfechos a ambos:

_____

_____

_____

_____

_____

Reflexiones finales

La relación de pareja es una realidad que construyen sus miembros desde un contexto personal y social concreto. La celebración de la boda es un punto de llegada que inmediatamente se convierte en un punto de partida. Toda la atención, la organización, la dedicación brindada a ese evento tendrá que expresarse luego en decisiones y acciones muy concretas en la experiencia que inician. Muchos fracasos matrimoniales son ocasionados por creer que la relación de pareja se construye por sí sola o que no hay que dedicarse a sacarla a delante.

Hay que tener cuidado con cuatro actitudes que dañan considerablemente la relación de pareja y hacen que se termine viviendo en un infierno: la nula expresión afectiva, la mala comunicación, la crítica destructiva y constante, y, por último, la rutina, que enfría todo y hace que se pierda el gusto por compartir y vivir de una manera agradable.

Quisiera terminar este texto volviendo a insistir en cuatro reflexiones que responden a estas actitudes y que pueden ayudarte a tomar conscientemente la decisión de casarte o a mejorar tu relación de pareja, si ya estás casado.

La relación de pareja está basada en el amor. En una relación afectiva no pueden faltar las expresiones de afecto. Es necesario que a diario haya palabras, gestos, detalles y acciones que muestren que amas a esa persona. Es muy importante tener claro cuál es el lenguaje del amor de tu pareja, para que le puedas comunicar todo lo que sientes por ella de manera eficaz. Las caricias, las palabras tiernas, los abrazos, los besos no pueden faltar en una relación de pareja que quiera ser exitosa. Las relaciones genitales tienen que ser la culminación de una comunicación afectiva intensa, agradable y realizadora. No puede haber una dicotomía entre la manera como se tratan en el día y la forma en que se tratan en las noches de intimidad. Se tiene que notar que se aman en todos los momentos y que quieren ser felices.

La comunicación es fundamental en una relación de pareja. Hay que saber escuchar y, para ello, es necesario que haya atención, apertura, disposición y el amor necesario para no solo captar el significado de lo que te está diciendo el otro, sino entender lo que está sintiendo. Una buena escucha va más allá de la información que traen las palabras del otro; una buena escucha interpreta cómo se siente el otro. También hay que saber hablar, y para ello es muy importante ser asertivo: saber decir la verdad en el momento indicado, en el lugar preciso, con las palabras adecuadas y los sentimientos correctos. Sin gritos, con delicadeza, sin mentiras, con sinceridad, sin manipulaciones. Sin una comunicación eficaz es muy difícil que exista una buena relación de pareja.

A nadie le gusta ser criticado de manera constante e injustamente. Para que la relación de pareja funcione, hay que hacer el esfuerzo de no volverse un criticón destructivo, que haga que todo momento de compartir se vuelva una experiencia de dolor y tristeza. Debes saber compartir con la otra persona lo que no te gusta y lo que crees que debe mejorar. Si crees que hay algo que cambiar, debes buscar la manera de hacérselo saber, y para ello es necesario una buena comunicación. Es posible que tu pareja tenga ya muchos críticos fuera de casa; no necesita uno más. Una buena relación de pareja se basa en muchas palabras de afirmación, en comentarios que elogian al otro y en compartir los momentos difíciles, sin juzgar a la otra persona sino ayudándola a cargar el peso. Recuerda que el otro es tu compañero de camino, no un enemigo al que hay que invalidar.

Todos los humanos somos alérgicos a la rutina. Nos aburrimos de tener siempre la misma dinámica de vida. Por eso, si quieres tener una relación de pareja agradable y realizadora, debes hacer el esfuerzo por encontrar cómo vencer la rutina y tratar de encontrar experiencias que renueven la relación y te permitan descubrir cada vez más a tu compañero(a). De las cosas que más me gustan cuando termino los retiros espirituales que hago con parejas es que ellas concluyen diciendo que ha sido un momento para renovar su relación. Creo que es una buena forma de irle ganando a la rutina.

Estoy convencido de que trascender lo inmediato, lo útil, lo material, basándose en una buena experiencia espiritual, es una oportunidad para desarrollar e impulsar el proyecto conjunto de vida. Como católicos que somos, cuando celebramos un sacramento, nos comprometemos no solo a vivir en clave de Dios, sino a ser capaces de luchar por reflejar constantemente el amor de Él. Eso, desde luego, también tiene que hacerlo toda pareja católica.

Agradecimientos

A ti, querido lector, gracias por leerme y por tu benevolencia al revisar estas reflexiones y esforzarte en traducirlas en tareas concretas en tu vida cotidiana. Estaré orando por ti. Estoy seguro de que Dios conoce tu nombre y desde ya te bendice y te ayuda a ser más feliz. Bendigo tus relaciones de pareja y bendigo a tus hijos.

También doy las gracias a la psicóloga Belia Linero, al padre Jader Igirio Tesillo y a la señora Lyliam Palacio, quienes, desde sus roles, leyeron el borrador de este libro y me aportaron sus buenos comentarios. Gracias por la amistad y el cariño. Pido a Dios que los bendiga.

Bibliografía

Aguirre, R. *Del movimiento de Jesús a la Iglesia cristiana*. Estella (Navarra) España: Verbo Divino,1998.

Apuntes de Clase, *Teoría del conflicto* (Especialización de negociación y manejo de conflictos), Universidad del Norte, Barranquilla, 2003.

Bartels, A. y S, Zeki. "The neural basis of romantic love". *Scientific Journal Neuroreport*, septiembre del 2000.

Cadavid, S. C. *El Concepto de amor en la Primera Carta a los Corintios*, capítulo trece. Universidad Católica de Pereira, Facultad de Ciencias Humanas, Sociales y de la Educación, Programa Licenciatura en Educación Religiosa. 30 de mayo del 2011.

Fisher, H. *Por qué amamos*. Madrid: Taurus, 2005.

Freud, S. Introducción del narcisismo. Traducción de J. L. Etcheverry, *Obras completas: Sigmund Freud*, Vol. 14. Buenos Aires: Amorrortu, 1984.

Kasper, W. *El evangelio de la familia*. Santander, España: Sal Terrae, 2014.

Linero, A. *Orando y viviendo en parejas*. Bogotá: Editorial Minuto de Dios, 2012.

_____ *Sin libertad no hay amor*. Bogotá: Editorial Diana, 2014.

_____ *La luz al final del túnel puedes ser tú*. Bogotá: Editorial Diana, 2015.

Max-Neef, M. *Desarrollo a escala humana*. Barcelona: Editorial Icaria, 1994.

Platón. *El banquete*. Buenos Aires: Ediciones Lea, 2013.

Poiésis. FUNLAM, N.° 24 (diciembre del 20129. Consultado en: http://www.funlam.edu.co/revistas/index.php/poiesis/index.

Tobeña, A. Anuario de Sexología 2009, N.° 11. Universidad Autónoma de Barcelona.

_____ *El cerebro erótico: rutas neurales de amor y sexo*. Madrid: La Esfera de los Libros, 2006.

Zuleta, E. *El elogio a la dificultad y otros ensayos*. Bogotá: Editorial Planeta, 2015.

DIANA

España
Av. Diagonal, 662-664
08034 Barcelona (España)
Tel. (34) 93 492 80 00
Fax (34) 93 492 85 65
Mail: info@planetaint.com
www.planeta.es

Paseo Recoletos, 4, 3.ª planta
28001 Madrid (España)
Tel. (34) 91 423 03 00
Fax (34) 91 423 03 25
Mail: info@planetaint.com
www.planeta.es

Argentina
Av. Independencia, 1668
C1100 Buenos Aires
(Argentina)
Tel. (5411) 4124 91 00
Fax (5411) 4124 91 90
Mail: info@eplaneta.com.ar
www.editorialplaneta.com.ar

Brasil
Av. Francisco Matarazzo,
1500, 3.º andar, Conj. 32
Edificio New York
05001-100 São Paulo (Brasil)
Tel. (5511) 3087 88 88
Fax (5511) 3087 88 90
Mail: ventas@editoraplaneta.com.br
www.editoriaplaneta.com.br

Chile
Av. 11 de Septiembre, 2353, piso 16
Torre San Ramón, Providencia
Santiago (Chile)
Tel. Gerencia (562) 652 29 43
Fax (562) 652 29 12
www.planeta.cl

Colombia
Calle 73, 7-60, pisos 7 al 11
Bogotá, D.C. (Colombia)
Tel. (571) 607 99 97
Fax (571) 607 99 76
Mail: info@planeta.com.co
www.editorialplaneta.com.co

Ecuador
Whymper, N27-166,
y Francisco de Orellana
Quito (Ecuador)
Tel. (5932) 290 89 99
Fax (5932) 250 72 34
Mail: planeta@access.net.ec

México
Masaryk 111, piso 2.º
Colonia Chapultepec Morales
Delegación Miguel Hidalgo 11560
México, D.F. (México)
Tel. (52) 55 3000 62 00
Fax (52) 55 5002 91 54
Mail: info@planeta.com.mx
www.editorialplaneta.com.mx
www.planeta.com.mx

Perú
Av. Santa Cruz, 244
San Isidro, Lima (Perú)
Tel. (511) 440 98 98
Fax (511) 422 46 50
Mail: rrosales@eplaneta.com.pe

Portugal
Planeta Manuscrito
Rua do Loreto, 16-1.º Frte.
1200-242 Lisboa (Portugal)
Tel. (351) 21 370 43061
Fax (351) 21 370 43061

Uruguay
Cuareim, 1647
11100 Montevideo (Uruguay)
Tel. (5982) 901 40 26
Fax (5982) 902 25 50
Mail: info@planeta.com.uy
www.editorialplaneta.com.uy

Venezuela
Final Av. Libertador con calle Alameda,
Edificio Exa, piso 3.º, of. 301
El Rosal Chacao, Caracas (Venezuela)
Tel. (58212) 952 35 33
Fax (58212) 953 05 29
Mail: info@planeta.com.ve
www.editorialplaneta.com.ve

Grupo ● Planeta   Diana es un sello editorial del Grupo Planeta www.planeta.es